集まって働く
フリーランサーたち
の労働社会学

アニメーターはどう働いているのか

松永伸太朗
Shintaro Matsunaga

Workplace
Studies
on Freelance
Animators
in an Animation
Studio

ナカニシヤ出版

はしがき

　アニメーターという職業がある。この職業は，テレビ・劇場・ネット配信等で見ることができるアニメ作品を制作する職業の一つである。現代の日本社会において，アニメ作品を一切見ることなく過ごしてきた人はごく少数であろう。しかし，そうした作品がどのような人びとによって作られているのかについて，私たちはどれだけ正確に知っているだろうか。

　アニメーターという語を聞いて，実際のところ具体的にどのような人物が思い浮かぶだろうか。たとえばスタジオジブリ作品の監督として知られる宮崎駿などは，アニメファンでなくても多くの人びとが思い浮かべる顔かもしれない。アニメファンで「機動戦士ガンダム」シリーズの作品を何かしら視聴したことがある人であれば，たとえば富野由悠季という監督の名を目にしたことがあるかもしれない。ジブリ作品とガンダムシリーズのファン層は異なるかもしれないが，いずれも巧みな映像表現を作り上げながら，多くのファンを魅了し，アニメファンを自認しない人びとにも知られる作品となっている。そのような表現に一度でも魅了された経験をもつ者であれば調べたことがあるかもしれないが，日本においては，こうした有名監督の多くがアニメーターとして職業経験を積んできた者たちである。多様なジャンルはあるが，私たちを魅了するアニメ作品はしばしば芸術的だと感じられるものであり，そうであるならばそれを作る人びとも，芸術の担い手であると考えられるだろう。ファンのなかには，作品内容よりも制作者の才能に期待して作品を視聴する者も数多い。

　しかし近年，アニメーターという職業は，別のイメージで捉えられることも多くなっている。それは，彼らを「労働者」として捉えようとする視点である。

　アニメーターという職業は，とくに 2000 年代後半ごろから，労働問題として社会的に取り上げられるようになった。その大きなきっかけの一つが，日本アニメーター・演出協会が 2009 年に発表した，『アニメーター労働白書 2009』である。そこでは，アニメーターに対するアンケート調査の結果が公表され，アニメーターが担当しうる職務の一つが年収 110 万円という低賃金であることが明らかになり，一挙に社会問題化した。ここから，「搾取」されるアニメーターという労働者像が現れるようになる。たとえばアニメーション専門学校の講師である原田浩（2011）は，「夢

を追うクリエーター意識を利用した過酷な働かせ方」であると強く批判している。研究者によっても同様の指摘がなされている。カルチュラル・スタディーズを専門とする毛利嘉孝（2009）は，アニメーターが「〈やりがい〉の搾取」（以下，「やりがい搾取」）を受けていると主張した。この「やりがい搾取」とは，教育社会学者の本田由紀（2008）が提唱した概念で，労働者が仕事のなかで感じている趣味性・専門性・カルト性・サークル性などを経営側が利用して労働問題を曖昧化することによって，劣悪な労働条件で労働者を使い潰している事態がみられることへの批判から提唱されたものである。アニメという映像制作に携わる仕事のイメージからして，そこには趣味性や専門性が関わっているという一般の印象は強く，アニメーターが「やりがい搾取」の状況にあるという指摘は，かなり説得力があるように聞こえる。

　筆者は，まさに「やりがい搾取」を受けるアニメーターというイメージがかなり定着していた 2013 年ごろからアニメ業界における労働調査を開始し，その実態の解明に取り組んできた。ベテランの有名アニメーターから駆け出しの若手アニメーターまで，自らの職業観についてインタビューをして回った。そうした研究に取り組むうちに，「やりがい搾取」とは微妙に異なる実態がアニメ業界にあることが明らかになっていった。たとえば多くのアニメーターは，自らの仕事について芸術性や創造性を有したものとみなしておらず，むしろ趣味的に仕事をこなすことに批判的であった。それに加えて，アニメーターは自らを取りまく労働条件に納得していない部分も多く，労働問題の存在はむしろ顕在的だった。そうしたなかで仕事上の実力に基づく基準に則って自らの労働条件の合理性を判断し，職業生活が継続できることを一つの達成目標としながら仕事に従事するアニメーターの姿が，そこにはあった。

　このように書いても，依然として「やりがい搾取」だといいたい読者もいるだろう。だが，「やりがい搾取」で描かれる労働者像に比べて，アニメーターは完全には資本の論理に包摂されきっておらず，独自の秩序を維持した労働者であるように思われるのである。自らの労働問題のあり方について正しく認識していることなどが，その証左である。少なくとも，彼らが曖昧化された労働問題のもとで盲目的に働かされているという批判はあたらない。それはアニメーターの判断能力を必要以上に低く見積もりすぎた批判ということになる。

　このようなアニメーターという職業が有する秩序については，彼らが有する職業規範に着目しつつ分析し，松永（2017）にまとめた。この作業を通してアニメーターの労働について一定の見通しを得られたが，そこでは扱えなかった重要な問題も

あった。

　それは，アニメ制作という営みが根本的に集団的な営みであるということだ。私たちが見ることのできる多くのアニメ作品は，多様な職種に従事する制作者たちによる時間をかけた協働を行ってはじめてできあがる，一つの商業作品である。こうした観点からすれば，アニメーターも制作に携わる集団的労働者の一人に過ぎない。アニメ制作というと自宅作業などを行っている姿をイメージする読者もいるかもしれないが，実際にはアニメ制作者の9割はスタジオに集って働いていることが明らかになっており（日本アニメーター・演出協会 2015），その重要性を見落としてしまうことになる。アニメーターは，商業作品制作という組織目的に照らしても，同じスタジオのメンバーシップを共有する者という意味でも，「組織の一員」なのである。この「組織の一員」という観点からアニメーターの労働のあり方を考えてみたいというのが，本書の一つの出発点である。

　なぜ「組織の一員」としてのアニメーターという見方にこだわるのか。それは，アニメーターが組織で働いているという事実が再び「やりがい搾取」の疑いを浮上させるからである。一般的にいって，組織に属しながら働くことは，労務管理を受けながら働くということを伴う。なるほどたしかにアニメーターは独特の職業規範のもとに秩序だった働き方をしているかもしれない。しかしそうした秩序が労務管理によって与えられたものであるならば，結局アニメーターは「やりがい搾取」のもとにあるのではないだろうか。

　それに加えて，そうした見方をしたくなる一つの事実がある。それは，アニメーターの約75%は，雇用形態上はフリーランサーとして働いているということである（日本アニメーター・演出協会 2015）。雇用形態上働く場所が自由なフリーランサーを組織の一員としてスタジオで働かせているという事態は，アニメーターの自由を労務管理が強く制約しているような印象を与える。インタビューの語りを通した分析では秩序だったアニメーターの姿が析出されたとはいっても，それが組織のなかで通用しているのかどうかは，定かではない。

　こうした疑問が生じてしまうのは，端的にいって，アニメーターが組織でどのような管理を受けており，どのように働いているのかを私たちがよく知らないからである。とりわけ，なぜアニメーターはフリーランサーとして享受できるはずの自由を取らずにスタジオという場所で働きつづけているのだろうか。それはやはり，労務管理によってやむを得ずそうしているのだろうか。それとも，ここでもまたアニメーター独自の秩序形成がみられるのだろうか。もしも独自の秩序形成がみえるの

ならば,「やりがい搾取」は再び現場の実態を捉え損なった批判ということになるだろう。

　こうした問題意識に答えを与えていくためには，実際にアニメーターが働く組織の内実を直接捉えるほかない。そこで筆者は 2017 年 1 月〜 4 月にかけて東京都内に所在する作画スタジオ X 社に協力を得て，参与観察を中心とする総合的なフィールドワークを行った。第 1 章にて詳述するが，X 社は自ら作品制作を統括する元請制作会社ではなく，部分的な作画業務を請け負う作画スタジオという事業形態を取っており，アニメ業界内でも収益が得られにくい立場にある。しかしそれにもかかわらず 40 年以上この経営スタイルを貫いてきている。この事実のみでも X 社は興味深い対象だが，本書にとっては以下の点がとくに注目に値する。

　X 社は，組織の一員としてのアニメーターを捉えるうえで適切な対象であった。就業形態上は独立自営業者であるフリーランスのアニメーターがベテランから若手に至るまで X 社に「所属」しており，そのアニメーターたちの多くが X 社スタジオに通いながら仕事を行っていた。社長もアニメーターの仕事に従事していた。X 社はまさに，集まって働くフリーランサーたちの職場だったのである。

　さらに X 社には，一般的な企業組織と同じく，労務管理の仕組みが存在していた。社内に「マネージャー」という，アニメーターの管理を業務とする通常のアニメ制作会社ではみられない職種が配置されていた。X 社の詳細については本書を通して明らかにしていくが，こうした「マネージャー」の存在だけでも，X 社がアニメーターを管理しようとしていることがうかがえる。こうした職種の存在は，一般的な企業組織においては自明に思われるが，アニメ業界，とくに X 社のようなフリーランスのアニメーターが集う労働現場においてはむしろ珍しい。通常のアニメ制作会社でも部分的にアニメーターの管理にかかわる従業員は存在するが，X 社はそれを専門的な職種として配置していることで，アニメーターにとって労務管理がどのような意味をもつのかがきわめて捉えやすいという特徴がある。また，これは多くのアニメ制作会社に共通することだが，個々のアニメーターの席は固定になっており，そうした意味でも働く場所の柔軟性は乏しい。

　こうした情報を受け取った読者にとって，X 社はどこか働きにくそうな会社という印象をもつかもしれない。しかし筆者が実施した社内アンケートでは X 社のアニメーターの労働条件や満足度は平均的なアニメーターと比較して高い傾向にあり，素朴に問題として取り上げることも難しかった。むしろ，フリーランサーなのに労務管理を受けている，場所の柔軟性が乏しいという外から限りでデメリットにみえ

る事柄があるにもかかわらず，アニメーターが一定の満足感をもって働いているのであれば，そこには当事者の水準で存在している合理性があるのではないか。こうした方針は松永（2017）でも採用したものだが，今回の X 社の事例においても同様の方針が有効であるように思われた。対象となる職場をどのように評価するかは，こうした記述が積み重なってはじめて適切に行うことができるのである。

　そこで本書では，フリーランスであるにもかかわらず労務管理を受けて場所の柔軟性が乏しいというアニメーターに特徴的な働き方が，アニメーターにとってどのような意義をもっているのかについて，当事者水準での合理性を把握することを通じて明らかにする。そうした作業を通して，すでに 10 年ほど議論されているアニメーターの労働問題の改善について示唆を与えるとともに，労働社会学における新たな研究視点を示す。

　労働社会学者の河西宏祐は，職場に存在している文化が経営側によって用意された「従業員文化」なのか労働者が主体となって形成された「労働者文化」なのかによって，労働者にとっての意味が大きくことなることを議論している（河西 1981）。そしてこうした区別を捉えるための方法として「当事者の論理」を捉えることの重要性を指摘している（河西 1990=2001）。こうした先達の考え方に依拠するならば，本書はアニメーターの労働現場を事例として，職場でなされるさまざまな活動の「当事者の論理」を捉えながら，それが「労働者文化」としての身分をもちうるものかを見極めていくものであると位置づけられるだろう。

　こうした問題意識のもと，本書ではまず序章でアニメーターの労働現場をめぐって問うべき論点を設定し，それへの有効なアプローチを示す。そのうえで，第 1 章以降ではアニメの労働現場の具体的な内実に迫っていきたい。

目　　次

はしがき　*i*

00　序章：アニメーターの労働への新しい見方 ——————— *1*
　　集まって働くフリーランサー

1　アニメーターの労働問題：働き方・働く場所という視点から　*1*
2　職場における規則の社会学的記述：エスノメソドロジーの有効性　*13*
3　エスノメソドロジーの視点：職場の規則の適切な記述と共有されたワークスペースの構成　*22*
4　小括と本書の構成　*34*

01　アニメーターの労働をめぐる諸前提 ——————————— *37*

1　はじめに　*37*
2　商業アニメーション製作をめぐる企業間関係と制作工程　*37*
3　アニメーターの職務と労働条件　*42*
4　小　　括　*46*

02　X社というフィールド ———————————————————— *49*

1　はじめに　*49*
2　調査概要　*49*
3　X社の人員的構成　*53*
4　X社内の職場のデザイン　*56*
5　X社が内包する緊張：労働意識と空間利用から　*63*
6　小　　括　*72*

03　生産活動 ——————————————————————————— *73*
　　作画机の上での協働と個人的空間

1　問題設定　*73*
2　職務遂行における他社との関わり　*74*
3　個人的空間としての作画机　*78*
4　指示を受けつつ指示を与えること　*82*

5　結　　論　*87*

04　労務管理 ——————————————————————— *89*
仕事の獲得・不安定性への対処・協働の達成

1　問題設定　*89*
2　報酬水準の交渉　*90*
3　仕事の不安定性への対処：「手空き」への対応　*95*
4　トラブル時における仕事の譲渡：協働の調整　*99*
5　結　　論　*103*

05　人材育成 ——————————————————————— *105*
技能形成の機会

1　問題設定　*105*
2　社長から若手への指導　*106*
3　先輩から後輩への指導　*117*
4　OB による若手アニメーターへの偶発的な指導　*122*
5　引き渡し／学習の場としての上り棚　*126*
6　結　　論　*129*

06　個人的空間への配慮と空間的秩序の遂行 ——————————— *131*

1　問題設定　*131*
2　作画机以外のスペースにおける会話　*132*
3　作画机についている他者への話しかけとその理由　*148*
4　話しかけの中断　*159*
5　結　　論　*163*

07　終章：本書の要約とインプリケーション ——————————— *165*

1　本書の要約　*165*
2　本書の意義：私たちは X 社から何を学べるのか　*168*
3　今後の課題　*177*

あとがき　*179*
参考文献　*182*

事項索引　*189*
人名索引　*191*

00 序章：アニメーターの労働への新しい見方

集まって働くフリーランサー

1 アニメーターの労働問題：働き方・働く場所という視点から

　本書は，アニメーターを職業にする者が集う職場でのさまざまな実践を取り上げながら，近年議論されてきたアニメーターの労働問題への新たな見方を提出するものである。さらに，アニメーターという職業に限らず，近年「働き方改革」の名の下に議論されているような，働く場所と働き方の関係について少なからず示唆を与えることを目的としている。

　ここで働く場所と働き方という論点を取り上げることは，広く労働という現象に関心のある読者であればなじみがあるものかもしれないが，とくにアニメという文化やコンテンツ自体に関心があって本書を手に取った者にとってはそうではないだろう。だが，働く場所と働き方という視点をとるということは，あくまでアニメーターの労働現場で起きていることのなかから導かれるものである。そこでまずはアニメーターの労働をめぐって研究者がどのようなことを指摘してきたのかを概観し（第1項），働く場所（第2項），働き方（第3項）という本書全体の分析視角にかかわる議論の動向を見渡す。そこから先は職場が秩序だった場であることを可能にしている規則を捉えることの重要性を示したい。

■1-1　組織を捉える視点の不在

　アニメーターという職業は，とくに2000年代後半ごろから，労働問題を抱える存在として社会的に取り上げられるようになった。そこでは，低賃金・長時間労働といった劣悪な労働条件に注目が集まり，その労働問題の背景や，アニメーターたちの職業意識などについてさまざまな研究者が検討を行ってきた。

　アニメーターの労働問題をめぐる研究は未だに十分蓄積しているとはいえないが，いくつか重要な指摘を行っている研究が存在する。まず，そうした研究を概観してみることで，アニメーターの労働問題を考察するうえでどのような視点を設定することが有効かを考えてみよう。

　まず，近年徐々に蓄積してきている研究として，アニメーターの労働の歴史について触れている研究がある。第二次世界大戦期における国内でのプロパガンダアニメ制作の労働力動員を検討した雪村（2007），1950 年代ごろからの東映動画（現：東映アニメーション）の労使関係についての研究を展開した木村（2010；2016）がそれにあたる。筆者も 1970 〜 80 年代のアニメブーム期におけるアニメーターの労働規範の変化を扱った研究を進めてきた（松永・永田 2017；永田・松永 2019）。こうした研究は，日本のアニメ産業が幾度かの過渡期を経験してきた結果として現在の状況が生じていることや，集団的な制作システムが強化されるとともにアニメーターの雇用は不安定になっていくが，そのなかでも専門性を見出すことで職業として一定の地位を確立してきたということなどを明らかにしている。本書はあくまで現代の制作現場のエスノグラフィであるため，こうした歴史研究に対して直接的に批判を行う立場にはないが，本書の対象となる X 社は 1970 年代創業で，筆者らが上記の研究で扱った時代にはすでに活動している企業であるため，業界の環境変動のもとで企業活動を続けてきた強みが，何らかの形で観察できる可能性は十分にある。

　このことを確認したうえで，歴史というよりは現状把握に関心をもって行われた研究もみてみよう。アニメ産業の現状分析を着実に進めている分野として，経済地理学における産業集積論が参考になる。

　日本のアニメ産業の 9 割以上は東京都内に集中しており，産業集積が生じている。こうした集積が生じるメカニズムについて，半澤（2016）は，作品制作を取り仕切る大手の元請制作会社が，テレビ放送局と物理的に近接している必要があることを指摘している[1]。また，山本（2007）は本書と同じく制作者たちがフリーランサーであることに着目し，フリーランサー同士の横のつながりや，特定の制作進行とのつながりを資源として仕事を確保しており，このような人的つながりが産業集積をもたらす一因となっていると指摘している。これらの研究は，制作者が近接した地域に集まるのは，制作会社・関連会社同士が築いている企業間関係や，制作者同士の人的つながりが重要であるためだと示唆している。

　現代のアニメ産業の労働問題に直接の関心を向けた研究も存在する。一つは大橋（2007）による，下請アニメ制作会社における参与観察調査である。大橋は自身がア

ニメーターとして下請制作会社に勤務し，その現場での極端に低い単価について明らかにしている。自身がキャリアを積んだアニメーターでもある大橋は，原画の単価について過去よりも若干は上昇したことを指摘しているものの，それでも 23 日間の参与観察において 1 日 8 時間程度の作業を続けて得られた総額は 106,256 円という最低賃金を下回る水準であったことを明らかにした。

　この大橋の研究は，アニメーターの労働を主題として職場を直接観察する仕方で知見をもたらしたという点では，管見の限り唯一のものである[2]。この点ですでに大橋の貢献は大きいが，一方で大橋が指摘している原画・動画の単価の低さ，そしてそれに伴う低報酬という論点は，現在では多くの読者の知るところだろう。後に出版された日本アニメーター・演出協会（2009；2015）の実態報告書等でも確認できる点である。重要なのは，単に実態を捉えるだけでなく，なぜそのように劣悪といえる労働条件のもとでも，ある程度のアニメーターが働き続けるのか，について解明することであるように思われる。

　こうした点にアニメーターへのインタビューの分析からアプローチしたのが筆者の前著（松永 2017）である。松永（2017）では上記のような労働条件下にあるアニメーターがいかにして外部からは劣悪にみえる労働条件を受容しているのかという問いから出発し，既存の労働社会学研究では労働者が共有する規範を析出することでそれに解答を与えてきたことを指摘し，その方針を踏襲している。さらに，既存の研究では規範の記述に関する方法論的議論が不十分であったとし，分析においてはアニメーターたちが上流工程の指示に従うべきであるという「職人的規範」と，自身の独創性を発揮するべきであるという「クリエーター的規範」という二つの規

1）半澤は一方で，制作工程のデジタル化により作品制作を社内で完結させる「内製化」が可能になってきたことから，産業集積が今後解体し地方分散していく可能性があることも示唆している。その場合，制作者についても，東京という地域にある会社を転々とする労働者像よりは，内製化を進めている地方の企業で比較的長期にわたって働く労働者像の方が優勢になってくる可能性がある。本書は集積が維持されるか否かという点には踏み込まないが，制作者が組織に留まって働くことによってどのような利点があるかを明らかにする点で，内製化が進行したとしても通用しうる知見を与えるものである。

2）アニメーターの労働を主題としていないものであればアニメーションの制作現場に対するエスノグラフィックな研究はいくつか存在する。制作現場とファンの結びつきを捉えるためにいくつかの企業でのフィールドワークを行ったコンドリー（2014）や，制作進行のインターンとして参与観察調査を行った Morisawa（2015）などが挙げられる。

範を志向しているが，原則として前者が優越していること，そして実力のある者が高く報いられ，ない者は報いられない仕組みが維持されている限りにおいて，アニメーターたちは自身の労働条件を受容していると指摘した[3]。

　前著はアニメーターの労働条件の受容の論理について解明することには一定の成功をみているといえるが，一方でこの受容の論理の解明によって大橋に対する本質的な批判が提示できているのかというと，そうとは言い切れない部分もある。前著の議論はさまざまなスタジオで働くアニメーターに自身の職業について語ってもらったデータを分析したものである。それはアニメーターという職業についての論理を示しているとはいえるが，それがスタジオという各々の組織の論理を示しているとは言い切れない。そもそも，ある職業や職種における規範と，組織における規範は互いに独立に成立しうるものである。そうであるなら，アニメーターの労働について考察するためには，実際の組織における活動に根ざして分析を行っていく必要があるだろう。そうした組織のなかにも，アニメーターが自らの状況に納得したり不満をもったりするような論理が存在するはずである。

　以上の議論を受けると，企業レベルでの関係性や職業レベルでの規範の共有といった分析は進められているものの，個々の組織や職場レベルでの研究が乏しい現状があるといえよう。本書では，そうした組織や職場レベルでどのような実践が存在するのかに着目したい。

　しかし組織や職場に着目するといっても，具体的に何を捉えればよいのだろうか。はしがきで筆者は，アニメーターの働き方の特徴として多くがフリーランサーであること，それにもかかわらず働く場所の柔軟性が乏しいことに言及した。こうした働く場所や働き方については，アニメ産業の労働とは別の文脈でさかんに議論がなされている。それらの議論はいずれも，「柔軟性（フレキシビリティ）」をめぐってなされてきたものである。そこで以下ではアニメーターからいったん離れて，労働をめぐる既存の議論からアニメーターの労働を問う視点の設定を試みることにしよう。

■ 1-2　働く場所のフレキシビリティ

　「働き方改革」という言葉は多くの読者が耳にしたことがあるだろう。近年このスローガンのもと，雇用制度・賃金・労働時間などさまざまな側面で既存の労働政

3）ただ，松永（2017）は単に受容がなされていることを強調するだけでなく，実力主義的な評価の仕組みすら，単価が一律であることなどにより十分に維持されていないことも指摘している点に留意が必要である。

策や人事管理が見直されつつある。そのなかで，働く場所に関する見直しも重要な
課題として掲げられている。本項ではその議論の内実と実態について確認する。

1）働く場所の多様化？：場所に縛られない働き方

　働く場所をめぐる議論は，企業の固定的なオフィスで働くのとは異なるオルタナ
ティブな働き方を模索してきた。その主たる候補の一つが，テレワークである。テ
レワークとは，情報通信技術等を利用して在宅勤務・モバイルワーク・サテライト
オフィス勤務等を行う働き方を指し，以前から柔軟な働き方を可能にするものとさ
れてきたが，働き方改革の議論のなかで再度注目を集めてきている。

　厚生労働省と総務省が連携して実施した「テレワークモデル実証事業」（2014～
2016年度）をもとに取りまとめられた「テレワークではじめる働き方改革──テレ
ワークの導入・運用ガイドブック」によると，テレワークは従業員にとって「ワー
ク・ライフ・バランスの向上」「生産性の向上」「自律・自己管理的な働き方」「職場
との連携強化」「仕事全体の満足度向上と労働意欲の向上」（厚生労働省 2017：3）と
いったメリットがあるとされている。

　また，他にも働く場所に関する議論として，コワーキング（スペース）や，ワー
ケーションといった働き方も近年取り上げられるようになっている。前者は，「働
く個人がある場に集い，コミュニケーションを通じて情報や知恵を共有し，状況に
応じて協同しながら価値を創出していく働き方」を意味する（宇田 2013）。コワーキ
ングスペースは世界で約11,000箇所，国内で700箇所ほど開設されている（宇田・
阿部 2018）。また後者は，「ワーク」と「バケーション」を組み合わせた造語で，休
暇の旅行先での一部の時間を利用して仕事をするという働き方を意味している。こ
の働き方は2017年7月に日本航空が導入したことで注目を集め，すでに研究者に
よる調査研究も蓄積され始めている（松下 2018；2019）。

　こうした働く場所をめぐる動向は，多かれ少なかれ，従来の企業のオフィスに縛
られた働き方よりも，そこからいくらか離れた場所で働くほうが，知的生産性や，柔
軟な働き方を実現するうえで有効であるという考えを反映したものだと考えられる。

　ここまでは，働く場所を従来の企業オフィスとするか，それ以外の場所とするか
という議論であったが，企業オフィスの内部にも働く場所に関する議論が存在する。
フリーアドレスオフィスやノンテリトリアルオフィスといった形で呼ばれる，「自
由席」のオフィスがそれにあたる。従来の企業オフィスでは部署・役職・職務など
に応じて固定席が割り当てられ，毎日その座席で働くという働き方が主流であった

が，それを自由席とすることで従業員間のコミュニケーションを活発化し，オフィスの知的生産性を高めることが期待されている（阿部 2014）。また，固定席を維持する場合でも，座席を島状に並べてそれらを一望できる位置に中間管理職の座席を配置するという従来型のオフィスレイアウトから，管理職席を廃止するというオフィスの「フラット化」が推進されている（鯨井 2017）。このようなオフィス改革の流れについて，鯨井は「時間と場所からワーカーを解放する歴史」であると特徴づけている（鯨井 2017：25）。

このように，近年の働き方をめぐる議論のなかでは，従来の企業オフィスという場所に縛られない働き方について多様な働く場所やオフィスのあり方が提案されていることがわかる。これらの提案を個別に検討することは本書の射程を大きく超える。しかし，少なくとも，オフィスそれ自体から離れて働くにしろ，オフィスのレイアウトを変更するにしろ，ある特定の建物で特定の座席に固定されて働く「場所に縛られた働き方」から逃れることで，より望ましい「柔軟な働き方」に近づけると多くの人びとが考えるようになっている，ということは確認できるだろう。

2)「場所に縛られない働き方」の現状

上記の議論で「場所に縛られない働き方」が含んでいるさまざまなバリエーションを描いたが，実際にはどの程度展開しているのだろうか。すべての形態について検討することは難しいため，比較的研究蓄積があるテレワークに限って確認する。

労務行政研究所（2017）は，『労政時報』購読者の人事・労務担当者 9,515 人を対象に，在宅勤務制度の実態に関するアンケート調査を実施している。最終的に集計対象となったのは 294 社であった。その結果，すでに在宅勤務制度を実施している企業は 36.4%，未実施でも今後実施を予定・検討している企業が 61.5%に及び，各企業の在宅勤務制度への関心の高さが明らかになった。また，在宅勤務実施企業のうち 75.0%は今後の在宅勤務者について「増やしていきたい」と回答しており，前節で述べたような「場所に縛られない働き方」を拡大していく方向性をここでもみることができる。

しかし，在宅勤務制度が柔軟な働き方を実現することに成功しているのかといえば，疑問が残る部分もある。表 0-1 は，在宅勤務実施企業に対して，在宅勤務を実施した目的（A）と実際に得られた効果（B）それぞれについて尋ね，どれだけ想定した効果を得られたのかについて集計したものである。

まず（A）の列をみると，過半数の企業が想定している効果として，「育児による

表 0-1　在宅勤務実施企業の想定目的と実際の効果

(労務行政研究所 2017：85)

区　　分	当初想定した効果（A）	実際に効果があった項目（B）	想定した効果があったか否か（B － A）
社員の自己管理能力の向上	18.6	26.5	7.9
ゆとりや健康的な生活の支援による離職・休職防止	39.2	46.1	6.9
オフィスにかかる経費の削減	8.8	14.7	5.9
時間外労働の削減	25.5	24.5	−1.0
企業イメージの向上	28.6	15.7	−12.9
定型的業務の生産性の向上	17.6	12.7	−4.9
創造的業務の生産性の向上	31.4	22.5	−8.9
非常時（地震，新型インフルエンザ等の発生時）における事業継続への対応	34.3	19.6	−14.7
通勤弱者（身障者，高齢者，妊娠・育児中の女性，けが等）への対応	47.1	29.4	−17.7
優秀な人材の獲得	40.2	19.6	−20.6
育児による離職リスクの軽減	76.5	54.9	−21.6
通勤問題の解消	37.3	3.9	−33.4
介護による離職リスク軽減	64.7	30.4	−34.3

離職リスクの軽減」(76.5%)，「介護による離職リスク軽減」(64.7%) があることがわかる。これらの効果は，厚生労働省の「テレワークの導入・運用ガイドブック」で導入効果として挙げられている「ワーク・ライフ・バランスの向上」とも合致するものであり，企業も意図としては柔軟な働き方を実現しようとしているようにみえる。しかし，これらの項目は（B － A）の列ではそれぞれ -21.6%，-34.3%と，いずれも実際の効果が想定を下回っている。一方で想定通りに効果が得られているもののうち最も上位にあるのが「社員の自己管理能力の向上」(+7.9%) である。自己管理能力の向上は「テレワークの導入・運用ガイドブック」でも効果として挙げられているものであるが，あくまでそれはワーク・ライフ・バランスの向上に向けて従業員が努める結果として得られるものとされている。しかしここではそのような関係性は明確には認められない。こうした実態をみる限り，在宅勤務制度という形で「場所に縛られない働き方」を導入したからといって，それが期待されるような柔軟

な働き方を実現すると即断はできない。

　「場所に縛られない働き方」の現状として，もう一つの事例を紹介しておこう。1）で，「場所に縛られない働き方」には，テレワークのように企業オフィスから物理的に距離を取って働くというやり方に加えて，オフィス内でも自由席化・フラット化を進めていくというやり方があることを述べた。こうしたオフィス改革もまた一定の効果をもっており，筆者自身も IT 企業 2 社における調査から議論した経験がある（松永ほか 2017；藤本ほか 2018）。

　しかしながら，オフィス改革という道筋を取る場合でも，ただちに柔軟な働き方が実現するわけではない。フランチェスカ・サルヴァドーリ（2017）は，近年は「オープンオフィス」という語とともに，知識共有，フラットなヒエラルキー，柔軟性，楽しさを感じられる仕事／遊び共同体，といった魅力を掲げるオフィスが現れてきたことを指摘している。ここで具体的にオープンオフィスとして取り上げられているのは，「誰に対してでも 2 分半以内の移動で会うことができる」設計を取っている Apple のオフィスや，2,800 人のエンジニアが単一の大部屋で働くことができるようにした Facebook のオフィス，オフィス内を自転車で移動することができたり，ゲーム機が配置されていたりする Google のオフィスなどである。

　しかしサルヴァドーリによれば，オープンオフィスに関する議論ではその肯定的側面が取り上げられる一方で，従業員同士が近接してコミュニケーションが取りやすくなっていることによって，かえって仲間同士の会話で気が散ったり，仕事が中断されてしまったりすることが問題にもなってきたという。そして，こうしたネガティブな側面を気にかけつついかにしてオープンオフィスのポジティブな側面を引きだすかという課題は，研究者にとっての課題である以前に組織成員の課題になってきたとサルヴァドーリは指摘する。オフィス内のレイアウト等をいかに工夫しようとも，その場のコミュニケーションのあり方によっては，柔軟に働くどころか，従業員が互いに邪魔をし合うような職場が成立してしまう恐れがある[4]。

　このような議論をアニメーターに当てはめて考えるのならば，アニメーターたち

4）テレワークについての社会学的研究の日本における第一人者である佐藤彰男（2006；2008）は，テレワークが取り上げられる際にそれが望ましい働き方を導くことが過度に前提されているために，適切な実証研究が積み上がらず，誤った集計が流通してきたことを指摘している。本書は，そもそも前提としてある職場がどのような特性を有するのかを捉えるための一つの視点を提供するものであり，そのような形でも働く場所をめぐる議論に貢献しうる。

はフリーランサーとして本来的にはかなりの自由を享受できるにもかかわらず，集まって働いていることによってその自由が損なわれている可能性がある。ここから，一つの問いが浮上してくる。つまり，アニメーターたちはどのように自らの自由を担保しているのか，という問題である。

　こうした自由の確保という問題に加えて，そもそもフリーランサーであること自体がもたらす別様の問題もある。次項ではその点を確認しよう。

■ 1-3　働き方のフレキシビリティ
1）非標準的労働編成とその不安定性

　本項では，アニメーターを対象とすることで生じるもう一つの論点，つまり働き方に関するフレキシビリティの議論を取り上げる。筆者は冒頭で，アニメーターは柔軟な働き方を実現している職業であると述べた。フリーランスで働くことが主流であるアニメーターたちは，働く場所だけではなく，働く時間や仕事内容についても高い自由度を有している。

　このように，柔軟な働き方について議論するとき，多くの労働研究はその雇用形態について議論を重ねてきた。その対象となってきたのは，正規雇用の労働者よりも，非正規雇用・派遣労働・自営業・フリーランス労働などである。こうした正規雇用以外の労働形態は総じて「非標準的労働編成」と呼ばれる（Kalleberg 2000）。非標準的労働編成のもとにある労働者は，働く時間・場所・仕事内容について高い自由度があり，より広い労働者のニーズに応えうるものとされた（佐藤・小泉 2007）。しかしこれらの労働形態は収入や雇用の安定性などの点で低水準にあることが多く，どちらかといえばこの負の側面に研究者の関心が集まってきたといえるだろう。日本でも 2000 年代ごろから，フリーターなどの若年雇用問題と関連して，非正規雇用を中心的対象にした事例研究が数多く出版された（小杉 2003：本田 2010 など）。

　このような，柔軟な働き方を享受している反面で経済的苦境のもとにある労働者は，不安定労働 precarious work という概念とともに社会学のなかでも注目されてきた（カステル 2015）。近年では，さまざまなフリーランス労働を対象とした詳細な質的研究が数々現れてきている。

　とくに問題となってきたのは，不安定な労働編成のもとにあることで仕事が途切れてしまうリスクに，労働者たちがどう対処しているのかという論点である。たとえばストーリーらは，メディア産業のフリーランサーに対するインタビュー調査から，彼らが仕事を切らさないために，つねに自らを企業家精神にあふれた存在とし

て演出し自分を売り込み続けなければならないことを明らかにしている（Storey et al. 2005）。さらに，仕事がいつ途切れるかが不確かな環境下で働くフリーランサーたちは，仕事が途切れないこと自体を一つの職業的成功とみなしていることも明らかにしている。ハーヴィーらは，フィットネスクラブで働くフリーランスのインストラクターたちが，自身の顧客を引き留めておくために，勤務外でさえ顧客との友好関係を絶えず保ち続ける必要に迫られ，本来の業務外での感情労働に従事していることを議論している（Harvey et al. 2016）。このようにフリーランス労働では，雇用労働であれば労務管理の一環として行われるような仕事の割り当てが行われないため，仕事の獲得自体においてさまざまな（しばしば賃労働ではない）活動をしなければならなくなる。こうしたことをハーヴィーらは「賃労働を得るために働く work for labor」と表現している。

　こうした状況に置かれる結果，そこに従事するフリーランサーたちのなかでは独特の熟練の形態が現れてくることになる。オッキウトは，ニューヨーク市における独立契約者のタクシー運転手を対象としたエスノグラフィで，タクシー運転手たちは賃金を多く稼ぐことよりも個人の事情に合わせてスケジュールを調整できることを有意義なこととみなしていると指摘している（Occhiuto 2017）。このスケジュール調整を行うことは容易ではなく，タクシーの仕事ではしばしば長時間待機しても顧客が現れないことがあるため，スケジュール調整のために休みなく働くといった事態が起きているという。しかしこうした労働編成のあり方について，タクシー運転手はスケジュール調整が損なわれない限りで肯定的なこととして認識している。ライトとラヘルマは，フィンランドにおける 1990 年代前半の長期不況を経験したジャーナリストや管理職たちの失業に対する対処の経験について検討している（Raito & Lahelma 2015）。そこでは，もともとフリーランス的な働き方をしていることが多いジャーナリストの方が，管理職と比較して失業による精神的幸福への悪影響が少ないことが指摘されている。また，失業保険などを得ることによって失業期間中の生計を維持できることがささやかな成功のあり方だと調査対象者たちが理解しているという。こうした議論は，不安定な雇用形態のもとで，労働条件が過酷であろうともスケジュールに関する裁量を守れること，そして，たとえ途中に失業状態が生じても職業自体をリタイアせず継続できることがフリーランサーたちにとって一つの成功のあり方になると示唆している。

　こうした研究群は総じて，フリーランス労働がもたらす不安定性に対して，労働者個々人が行っている（もしくは，行わざるを得ない）対処のあり方に着目したもの

であるといえるだろう。フリーランスという働き方がきわめて個人化した労働形態
である以上，不安定性にも個人で対処せざるをえない部分がたしかにあるだろう。
しかし次でみるように，フリーランサーたちは集団的な対処法も培っている。

2）フリーランサーの職業コミュニティ

　フリーランス労働の社会学的研究においてもう一点よく議論されてきたのは，フ
リーランサーたちがしばしば形成する職業コミュニティの機能や，その維持の仕組
みについてである。職業コミュニティとは，類似した仕事上のタスクを抱える個々
人によって形成されるコミュニティである。それは労働文化の共有や個々人のアイ
デンティティ形成において重要な役割を果たすが，その一方でコミュニティにおけ
る関係はタスクそれ自体を超えても維持され，しばしば労働と余暇の境界を曖昧化
させるものでもある（Van Maanen & Barley 1984）。

　フリーランス労働に関する職業コミュニティ研究は，個々の職場を超えて広がる
コミュニティがフリーランサーの働き方にとってもつ意味を検討してきた。その近
年における成果の一つとして，シュワルツによるクラウドソースワーカーの職業コ
ミュニティ研究がある（Schwartz 2018）。シュワルツは，エンタテインメント系の出
版社から報酬を得て，専門的なソフトウェアを用いつつコンテンツを制作し納品す
るフリーランサーを対象とし，クラウド上における掲示板のやりとりなどを通じて
形成されるコミュニティがどのような意味をもつのかを検討している。ここで対象
となっているフリーランサーには，アマチュアからベテランまで多様な層が含まれ
ている。さらに個々の職種も企画から個々の素材作成まで多岐にわたる。彼らは頻
繁にオンライン上で会議を開いており，そこで制作コンテンツのピアレビューを
行ったり，アマチュアの学ぶ場としてベテランが自らの作業過程を配信したりして
いる。こうした活動は，報酬の支払い元である出版社が受発注と金銭のやり取りに
関する事柄以外では個々のフリーランサーとコミュニケーションを取らないことを
背景としている。企業側からのフィードバックや研修がないため，それをオンライ
ンのコミュニティ上で賄っているのである。また，他のフリーランス労働と同じく，
しばしば仕事が途切れてしまうことがある。それに対してはフリーランサーたちは
同一コンテンツを作るチームを形成し，報酬の配分について事前に取り決め，支払
いがあればそれに従って報酬を分け合う。こうした形を取ることで，個々人で仕事
を行うよりも，報酬を得られる状態が途切れにくくなる。さらに，このようにフ
リーランサーでありながら実際のところは組織的な働き方をすることになるため，

集団のためにフルタイムで働くといった組織人的なあり方のほうがより専門的なものとみなされるようになっているという。

　こうした知見は，フリーランサーが抱える不安定性に対処するうえでの職業コミュニティの重要性を指摘し，かつフリーランス化の進行がかえって組織的な働き方を要請することを示唆する点で興味深い。しかしこうしたコミュニティは，無条件に維持されるわけではないことにも注意が必要である。アムニーはイギリスにおけるファンクション・ミュージシャン（催し物の演出に用いられる音楽を演奏する演奏家）の仕事獲得について検討するうえで，彼らが日常的に仕事を回し合って互酬的な関係を築いていると述べているが，市場の状況によって仕事の需要それ自体が減りミュージシャン同士の競争が激化していくと，そうした互酬的な関係が破綻してしまうことを指摘している（Umney 2017）。アムニーはミュージシャンが当初形成していた互酬的な仕事の回し合いの関係を「モラル・エコノミー」と呼んでいるが，それは市場によって激しい競争を強いられることによってしばしば機能しなくなってしまう。アムニーの議論は，フリーランサーの仕事を支える職業コミュニティがその成員同士の道徳的な関係によって支えられており，職業コミュニティが適切に機能し続けるためにはその道徳的な関係を維持するための条件を考察しなければならないことを示唆しているだろう。

　こうした職業コミュニティの社会学的研究から導かれる問いは，アニメーターの労働現場を考察するうえでも重要である。本書において議論したいのは，まさにこのフリーランサーの仕事を支える職業コミュニティを構成する成員同士の道徳的な関係を持続させる条件に関して，職場にフリーランサーが集まって働いていることが重要なのではないかという点である。そもそも職場が従業員にとってのコミュニティとしての性格をもつことは，日本の産業・労働社会学の重要な探究課題でもある（稲上 1981）。企業に集っているフリーランスのアニメーターがどのような道徳的な関係を形成しているのか，そしてそれはどのような条件のもとに維持されているのかという問いは，アニメーターの働き方が有している合理性を解明する手がかりとなるだろう。

　また，職場の道徳性に着目することは，前項で議論した職場における自由という論点とも深くかかわる。というのも，職場で成員同士が近接していることによる集中のしにくさや仕事の中断などが成員同士で問題になるかどうかは，それ自体道徳的な問題だからである。職場によっては，むしろ他愛ない雑談を交わしながら仕事を行うことが是とされている場合もあるだろうし，逆に一言の会話や些細な干渉す

ら許さない職場もあるだろう。こうした，集っていることそれ自体が問題となりうるかどうかという論点にもまた，職場の道徳性がどのようなものかを問うことで接近可能なのである。

　定式化していえば，本書の問いはアニメーターたちはいかにして職場における自由を担保しているのか，そして仕事上の不安定性に対処するコミュニティをいかにして維持しているのか，という二つの問いに集約することができる。

　本節では，アニメーターの労働の特徴として指摘できる「フリーランスでありながら職場に集って働く」という点から，働く場所・働き方それぞれにおける議論を概観しつつ，本書の問うべき論点を考察してきた。そこでは，職場の道徳性について問うことが，アニメーターの労働の特徴の合理性を捉えることで有効であることが示された。

　しかし，職場の道徳性を問うといっても，そのためにどのような視点を取ればよいのだろうか。次節では，その理論的・方法論的な問題について検討し，実際にアニメーターの労働現場を捉えるための本書の方針を提示する。

2　職場における規則の社会学的記述：エスノメソドロジーの有効性

　本節では，先行する理論的・方法論的な議論を参照しつつ，職場の道徳性を問うための本書の視点について検討する。読者のなかには，なぜわざわざ学術的な議論をここで検討しておく必要があるのか，腑に落ちない者もいるだろう。実際，何かしらの労働経験を有する読者であれば，自らが関与した職場がどのような雰囲気だったか，または暗黙的な規則があったかなど，学術的な議論など知らなくても語ることができるだろう。

　しかし，規則を記述することにはいくつかの厄介な問題がある。一つは，研究者が労働調査を行うにあたって少なくとも最初はその職場についての「素人」「よそ者」であることが多いため，職場の成員が暗黙に用いている規則がすぐにはみえてこないという点がある。こうした背景から労働研究者は多様な調査法を駆使して研究を展開してきた[5]。この点については継続的に調査を行うことで解決できる部分も大きい。もう一つの大きな問題は，見出された規則が，その職場の成員の労働に実際関わるものなのかどうかという点である。たとえば，規模の大きい企業ではほ

5）労働調査に関する体系的なテキストとして，梅崎・池田・藤本（2020）を参照のこと。

とんどの場合細やかに就業規則が定められているが，そうした就業規則を従業員が隅々まで把握し，参照しながら業務を行っているかどうかは自明ではない。場合によっては労働時間や賞与など，自らの関心事についてだけ把握している従業員もいるかもしれない。こうした場合，参照されていない就業規則に言及しても，それを通して職場レベルの道徳性を描くことはできないだろう。

　そこで本項では，労働社会学におけるすぐれたいくつかの研究が，上記の問題をどのように解決しているかを整理する。そのうえで，そうした研究が有する限界も指摘し，本書が先行研究の視点を発展させるうえで問うべき論点を絞り込むことを試みる。

■ 2-1　ブラウォイの労働過程論：「同意」を可能にする規則と実践

　本項では，社会学的な労働研究が職場の規則を扱う際の一つの重要な方針を示した議論として，マイケル・ブラウォイによる労働者の剰余価値生産への同意に着目した労働過程論を取り上げ，検討する。ブラウォイは 1970 年代から継続的に研究を行っているが，その知見は近年でも重要な位置づけを与えられ，とくに英語圏における労働社会学研究の一つの基礎となっている（Bolton & Laaser 2013）。以下ではブラウォイの初期キャリアにおける研究であり，現在でも有力な議論といえる『同意を生産する（*Manufacturing Consent*）』（Burawoy 1979）において展開された労働過程論を取り上げ，検討する。

　ブラウォイは，資本主義における労働を論じるうえで，労働者が搾取され，熟練を失っていく側面を扱うだけでは，なぜそれでも資本主義が再生産され続けるのかが解明できない，という問題意識から，労働者自らが多かれ少なかれ搾取を受けることに「同意」していることに着目するべきだとした。ここでの「同意」とは，自らの労働を通して生まれた価値の一部を資本家が利潤として回収していることを知っていても，その職場で働くことをやめない，という程度の意味である。そのうえで，なぜ労働者は自らの搾取に「同意」するのかを，実際の労働現場のなかから探ろうとした。そのためにブラウォイは，『同意を生産する』のもとになる博士論文に関する調査として，1974 年の 7 月から 10 ヶ月間，農業機械メーカーであるアライド社において機械工として参与観察を行い，そこでの経験から「なぜ労働者は懸命に働くのか」という問題に取り組んだ。

　アライド社の機械工の賃金体系は最低賃金保障つきの出来高給になっており，職場ごとに定められた 100% 以上の出来高を達成すると，その超過率分のボーナスが

支払われるようになっていた。100%に満たない場合は100%ちょうどであった場合と同じ額が支払われる。一方，ボーナスが支払われる上限は140%までで，これを超えるとレート設定が見直される。なお，懸命に働いている標準的な労働者が産出する量は，125%と期待されている。

　こうした規則のもと，アライド社の機械工は無駄なく可能な限り多くのボーナスを得るため，できる限り140%の業務量に近く，かつそれを超えないように仕事をしようとする。機械工たちはボーナスを得られる出来高を達成することを「メイクアウト（make out・うまくやる）」と表現し，さまざまな実践を行っていた。たとえば，容易な仕事が回ってきたときに余分に作り，「積み立て」として難しい仕事が回ってきたときのためにとっておいたり，逆にボーナスが得られそうにないときには作業速度をわざと落としたりしていた。さらに，こうした実践が成功し続けるためには，検査工や補助労働者など，自分の仕事に関わる他の労働者との関係をうまく維持し続けることが必要になっていた。

　こうした実践はいかなる意味をもっているのだろうか。ブラウォイは自身の理論的考察において，資本主義的労働過程の重要な一要素として「剰余価値の隠蔽と保証」という機能があるとしている。つまり，資本主義的労働過程においては，労働者が剰余価値を生産していること（＝自ら搾取に寄与していること）は隠蔽されなければならず，それと同時に剰余価値が生産され続けることは保証されなければならないとした。この機能が満たされることによって，労働者は自らを搾取する資本主義的生産に対して同意することが可能になる。ゆえにブラウォイにとっては，この剰余価値の隠蔽と保証が具体的にいかにしてなされているのかということが，重要な解かれるべき問いとして浮上してくることになる。そして彼が調査の結果発見したのは，上記のメイクアウトの実践がまさにこの機能を果たしているということであった。

　ブラウォイはまず二つのことに目を向ける。第一に，このメイクアウトの実践はあくまで資本主義的労働過程のなかで行われる以上，資本－労働という生産関係（relation of production）への従属を前提とすること，そして第二に，メイクアウトが他の労働者も関わる実践である以上，そこに参加することは労働過程における他の職種との社会的関係（生産内関係 relation in production）を前提としていることである。これらの前提を受け入れなければ，メイクアウトを達成することはできない。このことをブラウォイは，メイクアウトの実践をゲームに見立てながら，「ゲームを行いながら規則を問題にすることはできない」（Burawoy 1979）と述べている。そし

て，ゲームを可能にする前提となっている規則は資本主義的生産を構成しているものである以上，メイクアウトを行うことは資本主義的労働過程に同意を与えていることになるとブラウォイは論じた。簡潔に述べれば，ブラウォイは労働現場における規則と実践の関係を経験的に考察していくことを通して，同意の生産を論じたのである。

　すなわち，労働社会学におけるブラウォイの貢献は，単に労働者に影響を及ぼしているとみられる規範や価値を明らかにすればいいのではなく，それらがつねに労働者の実践とセットで分析される必要があると明らかにしたことである。

　この労働者の規範や価値と実践の関係については，低賃金かつ／または長時間労働という劣悪な労働条件のもとでの労働者の自発的・没入的労働について論じた社会学的著作においても同様の議論がなされている（阿部 2006；宮地 2012；2016；松永 2017）。たとえば宮地弘子（2012；2016）は，ソフトウェアエンジニアたちがしばしば燃え尽きに至るほどの長時間労働をいかにして正当化しているのかについて調査し，彼らが有能なエンジニアとはどのような存在かを示す規範を用いていることに着目している。宮地はこの規範のことを「コード」と呼ぶ。宮地によれば，このコードは単に労働者を過重労働に追い込むために機能しているのではなく，むしろ労働者自身によって巧みに用いられているものであるという。たとえば，周囲から有能なエンジニアとして知られている者は，自身がそのように理解されていることを利用して，たとえば仕事が残っていても早く帰宅することができる。このように労働者自身によって利用されるものとして規範を理解している宮地にとっては，過重労働も，巧みにコードを用いて労働者が自らの関心を達成した副産物として理解されることになる。たとえば自身のプロジェクトの進捗が思わしくなく，そのことについて会議に招集されたリーダーが，周囲から非難されることを避けるために「一人でやるからいいだろ」と言って会議を切り上げ，その結果として膨大な仕事を一人で引き受けてしまう例などが挙げられている。

　この宮地の研究は，それ自体は労働過程論の文脈においてなされた研究ではないものの[6]，規則と実践の関係から現場の労働を考えるという点では，明確にブラウォイの延長線上にあるものとして位置づけられる。さらにいえば，ブラウォイが中心的に記述していた規則とは賃金体系などの明示的な規則であるのに対して，宮地が扱ったのはエンジニアたちが一つの組織文化として共有しているような，非明示的な規則である。この点で，宮地はブラウォイが示している規則の実践における遂行の結果としての剰余価値生産への同意という論点が，非明示的な規則であって

も同様に成り立っていることを示した論者として評価できるのである。

　このように，ブラウォイ自身，そしてその延長に位置づけられる研究群は，規則と実践という観点からさまざまな労働のなされ方を分析していくことによって，職場の道徳性のあり方を記述していったものとみることができる。

■ 2-2　同意生産論の応用とその限界

　ブラウォイの枠組みを援用した研究は，対象とする産業や職場を多様にしながら，近年でも頻繁に取り組まれている。本項では，その一つの到達点と限界を示す重要な論考として，アメリカの社会学者アシュリー・ミアーズによる VIP クラブにおける若年女性の不払い労働についてのエスノグラフィ研究を詳細に検討する（Mears 2015）[7]。

　ミアーズが取り上げたのは，VIP（Very Important People）の集まるナイトクラブにおける，10 代後半から 20 代の若年女性に対する不払い労働である。ミアーズは，自身も実際にナイトクラブでの不払い労働に従事して参与観察を行いつつ，他の参加女性や，彼女たちを「雇う」プロモーターへのインタビュー調査を行っている。

　ミアーズは，いかにしてナイトクラブにおける不払い労働が可能になっているのか，そしてどのようなときに若年女性たちがその不払い労働をしなくなるのかという問題を，前項で挙げたブラウォイの同意生産論と，経済社会学者ヴィヴィアナ・ゼリザーの関係ワーク論を組み合わせて論じている。

　関係ワーク relational work とは，ゼリザーが親密な社会関係と経済的行為の関

---

6) 宮地の研究は，直接的にはアメリカにおけるソフトウェアエンジニアたちが働く「テック社」を事例に，エンジニアたちが組織文化によって巧みに統制されていく様子をエスノグラフィックに分析したクンダ（2005）の研究への批判として展開されている。本研究の先行研究が扱ってきた対象は，必ずしも一つの組織においてなされている仕事ではないものも多いが，次章以降みていくように，本書は一つの作画スタジオという組織における実践を分析するものであり，本書もまた組織文化論に位置づけることも可能であると思われる。そもそも組織文化とは組織の成員が共有している規範や価値を指すものであるし，しばしば組織文化は組織内で発生する不祥事を誘発したり（間嶋 2007；樋口 2012），それを防止したりするもの（井上 2010）として研究されてきた。この点で組織文化とはその組織で用いられている道徳性を示すものであるといってよく，一組織を扱う場合，モラル・エコノミーを扱うことと組織文化を扱うことはほぼ同一であるとみなして問題ないと思われる。

7) 以下の記述は，松永（2016）によるミアーズの論文についての紹介を本書の内容に合わせて加筆修正したものである。

係について考察するなかで提出した概念で，人々が金銭的なやりとりを通して特定の社会関係を維持したり，変容させたりしていく行為のことを指している（Zelizer 2012）。ゼリザーは関係ワークについて「人々が対人関係を形成し，維持し，折衝し，変容させ，終わらせる際に行う創造的努力」という定義を与えている（Zelizer 2012：149）。

　分析的な内容に踏み込むまえに，その前提として，ミアーズが扱ったフィールドの情報を述べておこう。ナイトクラブの経営は，客であるVIPがどれだけ高価なドリンクなどを注文してお金を落とすかに儲けがかかっている。そのためクラブでは，VIPを引きつけるために美しい女性を多く配置するという戦略がとられる。そうした女性は若く，痩せており，長身であることが求められる。このような女性を連れてくる役割を担うのがプロモーターである。プロモーターは多くが30〜40代の男性（ただし一部は女性もいる）であり，女性を採用し，動員し，統制する。会場では女性はプロモーターと共にテーブルにつき，ダンスに参加するなどして会場の雰囲気を盛り上げ，自らを魅力ある女性として演出するが，これらの労働に対して賃金は払われない。彼女たちに与えられるのは高級レストランでの食事の機会や，VIPがいる目的地への小旅行（渡航費はプロモーター負担）などである。なお，ナイトクラブにはバーテンダーやウエイトレスなどさまざまな職種の労働者がいるが，これらの他の労働者は賃金を受け取っており，賃金が支払われないのはプロモーターが連れてくる女性たちだけである。

　ミアーズはこうしたフィールドにおいてなぜ女性たちが不払い労働に従事するのかについて（ブラウォイの言い方でいえば，いかにして同意を生産しているのかについて），プロモーターと女性の関係に焦点をあてて分析を展開している。その結論を簡潔に述べるならば，「プロモーターによる関係ワークによって，女性たちを不払い労働に同意させることが可能になっている（逆に同意の生産に失敗するのは，関係ワークに失敗するときである）」ということである。以下でより具体的にみていこう。

　分析においては，①女性の採用，②パーティーへの女性の動員，③クラブでのパフォーマンス，④女性の身体資本という四つの局面における関係ワークを通した同意の生産が議論される。その後，同意の生産が維持されなくなる限界的状況も扱われる。

　それぞれの局面において，プロモーターは一貫した関係ワークに従事していた。具体的にいうと，プロモーターは若年女性の労働を娯楽的で，プロモーターとの交友関係（しばしば性的に親密な関係を含む）に基づいたものとして枠づけるように努

める。このことを通して，プロモーターは，自身と女性の関係が雇用者−労働者関係になっていることを隠蔽する。これがプロモーターの従事する関係ワークであり，これがうまくいく限りにおいて，女性も不払い労働に同意していた。

　それぞれの局面では以下のような関係ワークが行われる。①採用は，フォーマルな面接などが行われるのではなく，「ガールハント」の形式で，プロモーターが街でみかけた女性を遊びに誘うなかで行われる。そこでは女性とプロモーターの間に互いへの興味や楽しい経験に動機づけられた新たな交友関係が開始されたと理解されるように慎重に枠づけがなされる。②プロモーターは交友関係をもつことになった女性をクラブへと動員するが，その動機づけは賃金ではなく，先述のレストランでの食事などの「贈り物」を通してなされる。ここであえて賃金を払わないことが，プロモーターと女性の関係を交友関係であるようにみせかける機能をもつ。ここで賃金を支払ってしまうと，プロモーターが女性たちの美しさなどの身体資本を利用した一種のセックス・ワークをさせてしまっていることが露呈するため，この関係は破綻する。③女性はクラブにおいてプロモーターとともに客にアルコールを売り，プロモーターの利益を高め，そして共に楽しむというゲームに従事する。④プロモーターはクラブが開店している間，女性をつねにテーブルにつかせるように統制する。さらには着用する衣装に関しても細かに管理する。しかし，ここでも過剰な管理がなされると交友関係にヒビが入り，関係ワークは破綻する。以上のような形で，ときに破綻が起こりつつ，若年女性による不払い労働が全体としては続いていく。これがミアーズが分析のなかで明らかにしたことである。

　ミアーズの研究は，ゼリザーの枠組みを援用しつつも，基本的にはブラウォイの同意生産論に依拠してプロモーターと若年女性が非公式な仕方で用いている規則とそれに関する実践の関係を議論していくことによって，若年女性たちの不払い労働が達成されていくことを示したとみることができる。これは，今後もさまざまな職業を対象として引き継がれていくべき研究であると評価できる。

　しかし，同意生産論における既存の研究において最も優れたものの一つといってよいミアーズの研究にも難点が存在する。それは，関係ワークの遂行のされ方によって若年女性が不払い労働から離脱してしまう，つまりプロモーターの仕事が失敗する場合があるとミアーズは指摘しているが，それがどのようなときに失敗するのか，これが明らかではないことである。ミアーズは，過剰な管理がなされる場合などに関係ワークが失敗することを指摘しているが，具体的にここでいう「過剰な管理」とは，何がなされるということなのだろうか。言い換えれば，若年女性に

とって自身に過剰な管理が向けられているという理解を導くようなプロモーターの行為とは，いかなるものなのだろうか。このようなことがミアーズの研究においても明らかにならないままに残されている。これは，次項のエスノメソドロジーの説明において詳細に述べるが，「関係ワーク」という概念が，それ自体は（おそらくは）特定の行為を名づける概念としてあるものの，実際にはその概念のもとになされている行為が十分に記述されていないことに起因する。

　この「過剰な管理」が何であるのかが明らかではないのは，職場の道徳性を捉えるという観点からすると問題である。なぜならここでミアーズが観察していた場面は明らかに，プロモーターの何らかの行為によって，若年女性とプロモーターの関係を支えていた道徳や規範が傷つけられた瞬間だからである。逆にいえば，プロモーターのどのような行為によってその場の道徳や規範がどのようにして傷つけられたのか，という問いに迫ることができれば，ミアーズは若年女性の無償労働を支える道徳や規範を解明することができたに違いない。

　ただしこうした批判は，ミアーズの貢献が職場の道徳性を議論するというよりも，ブラウォイの枠組みを若年女性の不払い労働や職場外における同意生産に適用し射程を拡張したことであることをふまえれば，直接的な批判にはならないことも事実である。

　しかし，ミアーズの研究はプロモーターの行為を十分に記述しなかった結果として，重大な難点を抱えている。それは，ミアーズの研究が先行研究のなかでいかにすぐれていようとも，それが具体的にどのような実践的意義をもちうるかという議論に踏み込んだとき，そこには十分なインプリケーションを見出せなくなるという点である。このことはミアーズ自身にとっても問題であるはずだ。なぜなら，彼女が扱っている若年女性の搾取や身体資本の搾取といった問題はすでにさまざまな形で社会問題として指摘されてきているものであるし，ミアーズ自身の論考もそうした社会問題への批判として意義をもつものだからである[8]。

　だが，いざ具体的に批判を行おうとした途端に，ミアーズの議論からインプリ

---

8) 当のミアーズ自身も，フェミニスト的な関心でフィールドワークを行っており，もちろん若年女性の搾取という現象に対しては本来的には批判的スタンスを取っている。だが彼女が以前に行ったファッション産業研究では，自らもファッションモデルとなって自身の外見へのまなざしをクライアントや事務所などの周囲から向けられるなかで，こうした研究対象と手を結んで研究をすることは難しく，自らの分析的知見を研究対象と共有することはしなかったと述べている（Mears 2011）。

ケーションを引きだすことは難しくなってしまう。たとえば VIP クラブにおける不払い労働を解決するには具体的にどのような対策が必要かを考えるときに，ミアーズ自身が指摘している内容のなかから処方箋をみつけていくことができないからである。おおまかにいえば，ミアーズの研究においてはプロモーターと女性の間でなされる関係ワークが分析され，これによって不払い労働の正当性が（ときには破綻しつつも）維持されているということが議論されているわけだが，それならば関係ワークを取り去ってしまえばいいのかといえば，それは無理筋というものだろう。プロモーターと若年女性の社会関係が存在する以上，関係ワークもその存在を可能にしている一要素なのであるから，関係ワークが消滅するということは考えにくい。そもそも関係ワークは私たちが社会の成員としてスーパーで食材を買ったり，友人や恋人にプレゼントを贈ったりといった日常的な場面で頻繁に行われていることである。であればプロモーターという存在を規制するなどして撲滅していくことなども考えられるが，何もこうしたブローカー的労働者はミアーズ独自の発見というわけではないし，そのような規制というインプリケーションはミアーズの議論からは必ずしも導出されない。実践の記述が不徹底である結果，ミアーズの議論はこうした難点を抱えているのである。

　とはいえ，ミアーズの分析はかなりの程度実践の詳細に立ち入ったものであり，ここで指摘した難点は労働社会学が全体として抱えているものだといえるだろう。ブラウォイ自身の出発点もそうであったように，労働の社会学的研究は資本−賃労働関係を代表とする客観的な社会関係を基本的な分析単位としてきた。そうした方針が取られてきたのは，資本家による搾取など，既存の労働をめぐる秩序を問いなおし，変革の契機を見出すための理論を構想していくためである[9]。しかし，特定の社会関係から生じる搾取を批判することに終始して実践の記述をおろそかにする結果，当の労働者たちの合理性を過剰に低く見積もってしまうことになり，かえって変革の契機を不十分にしか取り扱えないという問題を労働社会学は抱えている。

---

9) 日本労働社会学会の設立に尽力した河西宏祐は，労働社会学の基本問題を「支配・受容・変革」であると定式化している。
　「この問題は，経営側における労働者〈支配〉はどのような過程を経て行われるのか，労働者はなぜ労務管理による〈支配〉を〈受容〉するのか，労働者はたんにそれを〈受容〉する存在にとどまるのか，それともそこから〈変革〉への歩みを始める契機をその存在のうちに有するのか，といった検討すべき課題を含んでいる。これを要するに，〈支配・受容・変革〉問題とよぶことができよう」（河西 1990=2001：80）。

現状秩序の批判が労働社会学の重要な課題であるということは本書も共有している
が，それは当事者の合理性の把握と共に行わなければならないのである。

　本節までで，職場の道徳性を経験的に記述するうえで規則と実践の関係に着目し
たブラウォイと，それを援用したミアーズの経験的研究を検討してきた。これらの
議論はどれも人びとの規範や価値を人びとの実践を中心に据えながら記述してきた
ものとして評価することができる。しかし，その実践の記述という点にはまだ徹底
しきれていない部分が存在する。本書ではこの点を徹底する方針を取ることで，さ
らに職場の道徳性について詳細な分析が可能になり，かつ現状生じている問題に対
する解決を与えるという点に関しても，より具体的な形での解決策を与えることが
可能になるだろう。

　次節では，実際にそうした方針のもとに研究を展開してきたエスノメソドロジー
という視点について議論する。

3　エスノメソドロジーの視点：
職場の規則の適切な記述と共有されたワークスペースの構成

　本節では，エスノメソドロジーのアプローチを概観し，本書の課題にとっての有
効性を議論する。そのうえでいくつかの職場研究についてレビューし，本書がエス
ノメソドロジー研究にとってもつ意味についても述べる。

■3-1　エスノメソドロジーの方針

　まずはエスノメソドロジーとは何かについて説明を行いたい。エスノメソドロ
ジーは，その「人びとの（ethno）方法論（methodology）」という表記の仕方が言い
表しているように，社会の人びとが社会生活を営む際に用いている方法を明らかに
する，とひとまずはいうことができる。

　ここでいう「人びと」は，エスノメソドロジーではしばしば「メンバー（成員）」
という語とともに理解される。メンバーといったとき，通常私たちは同じサッカー
チームのメンバーであるとか，同じ部署のメンバーであるとか，何かの組織に所属
している人を指すものとして使うことがある。しかしエスノメソドロジーでは，そ
うした用法とは異なった仕方でメンバーを捉えている。エスノメソドロジーにおけ
るメンバーとは，「常識的知識を適切に用いることにより，自然言語に習熟して事態
を記述できることを指す」とされる（Garfinkel & Sacks 1970）。

　ここでの「常識的知識」とは，科学的知識のような「専門的知識」と区別される
ものであり，社会の人びとが常識として有している知識を指している。たとえば私
たちは職場や学校で朝に友人や同僚から「おはよう」と声をかけられたとき，「おは
よう」と挨拶を返すべきであることを知っている。こうした挨拶に関する知識は，
特別に専門的な訓練を受けたりしなくても，私たちが常識として有しているもので
ある。こうした類の知識が，常識的知識である。

　また「自然言語」とは，たとえば研究者が論証の際に用いるような「理想言語」
と区別されるものである。たとえば上記の同僚同士の挨拶の事例でいえば，研究者
はそうしたやりとりに互いの職務や態度を組織のメンバー同士で監視するという意
味での「ピアプレッシャー」（大野 2005）を見出し，その概念で同僚同士のコミュニ
ケーションを説明しようとするかもしれない。ここでの「ピアプレッシャー」のよ
うな語が，理想言語にあたる。しかし，同僚同士でコミュニケーションを取るため
に，「ピアプレッシャー」のような語を知らなければならないかといえば，それは考
えにくいだろう。わざわざ研究者が構築する概念など知らなくても，職場にいる人
びとは自らが普段用いる言語で同僚とコミュニケーションを取ることができ，それ
を通して職場の社会秩序を構築していくことができるだろう。ここでいう人びとが
自ら普段用いている言語が，自然言語である。

　これらの常識的知識や自然言語を用いて事態を記述できることがエスノメソドロ
ジーにおけるメンバー概念が指す事柄である。つまり，「おはよう」と声を自らがか
けられるにせよ，他者のそのようなやりとりを見たにせよ，それを「挨拶」として
理解し記述できること，これがメンバーである。この点でメンバーであることとは
特定の所属をもっていることというよりも，事態を記述したり理解したりすること
を可能にする能力を有していることともいうことができる。

　そして方法論とは，人びとが社会秩序を成し遂げるために用いている方法のこと
を指す。たとえば挨拶などの言語的なやりとりの仕方もその一つであるし，コミュ
ニケーションのなかで用いられる身ぶり手ぶり，新聞記事におけるテクストの書か
れ方，CM やテレビ番組における画面の構成など，私たちが事態を理解したり記述
したりする際に用いている方法であれば何でも，エスノメソドロジーの探究の対象
となる。

　エスノメソドロジーはさまざまな研究対象を扱うが，実際には会話など，人びと
の相互行為のなされ方に着目していくため，しばしば「主観主義」もしくは「主体
主義」の社会学として扱われることがある。しかしこうした理解は正しくない。山

崎（1991）は，既存の社会学においては，「他者を理解するためには，主体や他者が同一の普遍的な構造をもっているか（主観主義），あるいは自己と他者が同一の標準化された社会関係を文化（価値規範）という形で内面化していなければならない（主体主義）という考え方が基底にある」（山崎 1991：247）と指摘する。エスノメソドロジーはこの主観主義とも主体主義とも異なる視点を取っている。そこで問われるのは，いかにして諸主観が一致するのか（もしくはしないのか），いかにして理解の共同体が成立するのかという問いである。さらにこの問いは科学的観察者の問題であるだけではなく，日常的観察者にとっての問題でもあるとされた。まとめればエスノメソドロジーは社会学が扱ってきた他者理解の問題について，主観主義や主体主義といった既存の社会学の前提がそもそもいかにして成り立つのかという問いを立て，なおかつこれを日常的観察者にとっての問題でもあると定式化したのである。

　このようにエスノメソドロジーは相互行為に着目することが多いものの，主観主義的な社会学とは立場を異にしている。とりわけ分析の視点において一線を画しているのが，説明可能性（accountability）と相互反映性（reflexivity）への注目である。

　説明可能性の方からみてみよう。ある出来事が起こったとき，そこで何が起こったのかが理解できることを「説明可能 accountable」であるという。たとえばある人が「おはよう」という発話をしたとき，そこで起きていることは「挨拶」であると私たちは端的に理解できる。ここで私たちは「おはよう」という発話を雑多なものとしてではなく，「挨拶」という秩序のもとで聞いているといえる。なぜなら私たちは「おはよう」という発話に対して相手が返事をしなければそこに不在を見出すことができ，再度声をかけたり，相手を非難したりすることができるからである。ある現象が説明可能であるとは，このように私たちがその現象に対して秩序を見出すことができること，ともいうことができる。

　もう一つが相互反映性である。これは，ある記述が，それが記述している現象それ自体の一部にもなっていることを指す。上記の挨拶の例でいえば，「おはよう」という発話（記述）は，「挨拶」という現象の一部にもなっている。言い方を変えれば，「おはよう」と発話することで，「挨拶すること」をしているのである。重要なのは，この相互反映性は人びとが日々用いているものであるということだ。たとえば学校で先生が「今は授業中だ」と述べることは，まずもってはその場，そのときになされていることが「授業」であることを記述しているだろうが，私たちはこの発話からそれ以上の含意を理解するだろう[10]。それは，先生は「今は授業中だ」と述べることで，（おそらくは私語をやめない生徒に対して）「注意」をしているということであ

る。ここで相互反映性が人びとの用いるものであるということで重要なのは，「今は授業中だ」という発話が実際にどのような現象の記述になっているのかという問いが，この相互反映性を用いることで解かれているということである。つまり，「今は授業中だ」という発話が，どのような現象の一部になっているのかが（どのような発話として聞くべきかが），そのつどそこに参与している者たちにとっての課題になっている。

このようにエスノメソドロジーは，どのような現象に取り組むのであれ，どのようなデータを分析するのであれ，その現象がいかにして他の何かではなくまさにその現象として理解可能になっているのか（説明可能性についての問い），そしてそこでなされている記述がどのような現象の一部になっているのか（相互反映性についての問い）に着目しながら，分析を行っていくのである。

この方針においては，ミアーズが十分に記述しなかったように，プロモーターが若年女性を管理する際に具体的に何をしたら過剰な管理をしたことになるのかという問題を解ききらずに放っておくことはできなくなる。なぜならこの記述の不足によって，プロモーターの行為にいかなる「過剰な管理」という理解を導く説明可能性が備わっていたのか，そしてプロモーターの行為が当該の状況において「過剰な管理」という現象の一部にいかなる意味でなっていたのかという点が解かれぬままになっているからである。これらの疑問は，エスノメソドロジーの方針において分析を行った場合は，必ず解かれなければならない。そしてそれが解かれれば，その場面がいかなる道徳や規範によって支えられていたのかについても明らかにできる。この点でエスノメソドロジーの方針は，先行する労働社会学の研究に対して貢献することが可能なのである。

■ 3-2　ワークプレイス研究と共有されたワークスペースの構成

上記で本書がエスノメソドロジーの方針のもとに分析を行っていくことを述べたが，そのエスノメソドロジーのなかでも，すでに多様な研究が積み重ねられてきている。本項ではエスノメソドロジー研究における本書の位置づけについて議論し，そのうえで本書がとくに依拠するアイデアについて述べていく。

アニメーターたちの職場における実践に焦点をあてる本書は，エスノメソドロジーにおいては「ワークプレイス研究」と呼ばれる研究群の一つとして位置づけら

10）この学校の先生に関する事例は水川（2007：26）における記述を参考にしている。

れる。ワークプレイス研究とはその名のとおり，人びとが「ワーク」を行う場に焦点を当て，そこでなされている実践について探究していく営みを指す。ただしここでいう「ワーク」はエスノメソドロジー特有の意味で用いられており，いわゆる賃労働に関わるような「仕事」を指しているのではなく，社会秩序を産出している活動であればいかなる活動であっても「ワーク」と呼ぶ（Dennis et al. 2013：149）。たとえば挨拶のような日常会話もその場での社会秩序の遂行に関わっている以上，ワークの一つである。ワークがこういった意味であるからには，ワークプレイス研究は賃労働がなされる職場以外を対象にすることも可能である[11]。

とはいえ，多くのワークプレイス研究は，労働社会学における職場研究が扱ってもおかしくないような労働現場を対象に研究を進めてきた。そこで扱われる対象も多様である。たとえばロンドン地下鉄における管制室の協働の研究（Heath & Luff 1996），美術館のチケット販売カウンターにおける販売員と来場客のやりとりの分析（Llewellyn & Hindmarsh 2013），投資銀行における顧客への対応やテクノロジーの使用に関する研究（Harper et al. 2000）など，非常に多様なフィールドにおいて研究が展開され，日本においても論文集が出版されるに至っている（水川・秋谷・五十嵐 2017）。

筆者は第1節の働く場所をめぐる論点において，従業員同士がコミュニケーションしやすいオフィス設計を取っていても，それがかえって個々の従業員の作業や集中を阻害してしまうようなケースがあることを述べた。こうした議論を引き受けるうえでは，実践を記述する際にも，その実践がなされる空間との関わりを視野にいれる必要がある。

そうした視点を提供してくれるのが，エスノメソドロジーに基づくワークプレイス研究の先駆者の一人でもあるルーシー・サッチマンである。サッチマンは，自身の分析視点をさまざまな語で表現しているが，本書にとってはとくに「共有ワークスペースの構成（Constitution of shared workspaces）」という考えが参考になる。これは航空通信室のワーク研究から生まれた概念で，メンバーが個々のワークスペースを個人的にかつ進行中の活動に即して組織していく方法に着目することで，通信室という空間をより適切に理解できることを示している。

---

11) たとえば，山崎ほか（2003）では，救急救命士が遠隔地にいる心肺蘇生についての専門的知識を有していない大学生に対して電話で指示を出しながら心肺蘇生術を行ってもらうワークについて分析を行っている。このような遠隔地にいる作業者が共同作業を行う空間（リモートコラボレーション空間）も，ワークプレイス研究の対象である。

　そして分析の焦点となるのは，このワークスペースが組織されていく際に，どのような実践や環境がそこに関与しているのかという点である。サッチマンは以下のように述べている。

　　会話，視線，身体の配置，ジェスチャー，空間，備品，道具，これらすべてを
　　共有ワークスペースの構成の資源として捉えることができる（Suchman 1997）

　このように，会話だけではなく，視線や身体の配置やジェスチャーなどの，非言語的な行為も分析の対象となる。さらに参与者が用いている，あるいは参与者の行為の環境として働いている空間，備品，道具なども分析の対象である。こうしたさまざまな分析対象を考慮に入れつつ，その状況下における行為者の行為と環境がいかにして相互反映的に組織し合っているのかが分析上の焦点となる。

　具体的な分析の事例も紹介しよう。サッチマン自身が共有されたワークスペースの構成の分析事例として挙げている航空管制室におけるワークプレイス研究を取り上げる（Suchman 1996）。

　分析の対象とされるのは，空港の通信室において約5分間にわたって行われた，通信室内のスタッフ同士のコミュニケーションや通信士と航空機パイロットとのやりとりである。これらが単に会話だけを通して分析されるのではなく，通信室内におけるスタッフの移動や視線，物質的環境などが関連付けられながら分析が展開される。

　まず物質的な環境について言及しよう。図0-1 は，サッチマンが実際の分析のなかで用いていた図である。通信室には 2 名の通信士（図 0-1 の Ops）に加えて，旅客サービス担当者（PP）1 名，手荷物担当者（BP）1 名，そしてこれら 4 名を管理するスーパーバイザー（Sup）がおり，各々が自らの仕事に対処している。サッチマンは，このオフィス空間には個々のスタッフ間の空間を区切る壁や境界がないことに着目する。こうした空間的デザインはスタッフ相互のアクセスを最大化しており，そしてこの場を私的に考え込んだり機密的な会話をしたりする場ではなく，スタッフ同士の協働をなす場として定義することになるという。

　こうした環境的条件のもとで，個々人が領有する空間は状況的に，その時どきになされている活動と結びついて決定される。たとえば通信士が着陸した航空機と無線通信を行っている場合，その無線通信機のある空間が使用されることによってその活動の間においてはその通信士の空間とみなされる。そして通信士が航空機と通

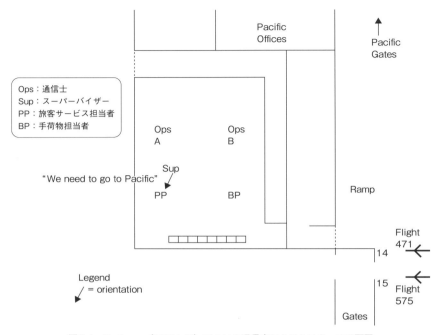

図 0-1　Suchman（1996：46）における通信室におけるスタッフの配置

信を行っていることは，通信士が無線に対して声を出して応答していることで，他のスタッフから認識可能になっている。このように活動がなされている限りにおいてその空間は特定のスタッフによって領有されるが，そのスタッフが不在になったり，別の活動に従事し始めたりすれば，その空間が他の者の空間として置き換えられる可能性が生じる。

　このようにサッチマンはスタッフの活動のなかで通信室内の空間が状況的に構成されていくことを論じている。そのなかで，労働研究が用いる概念の再特定化ともいえる分析も行っている。サッチマンは「身体の再配置としての権力」という節を設け，そのなかでスタッフが各々関わっている活動を中断させる形で，スーパーバイザーが指示などを送ることについて言及している。図 0-1 がまさにその状況を示したものである。サッチマンが取り上げているのは，航空機の移動式階段の配置にトラブルが生じ，それについて他社の航空会社に協力を仰がなければならないことを旅客サービス担当者のところに歩み寄って伝えたあと，その活動に身体的志向を示していなかった

手荷物担当者の肩を叩いて機体メンテナンス作業を行うチームへの連絡を促す場面である。このようにスタッフに対する権力が，スタッフの身体的志向を変更させるという形でスーパーバイザーによって用いられていることが指摘されている。

　この分析の妥当性それ自体に関しては，サッチマン自身が限定的にしか紙幅を割いていないため，疑問をもつかもしれない。実際にサッチマン自身，権力を節の主題にしているにもかかわらず，本文中に権力という語が出てこないばかりか，注において権力がどの水準で行使されているのかについてあいまいであると述べている。

　しかしそれにもかかわらず，彼女の議論から得られるのは，職場の成員たちが織りなす活動や空間使用の仕方から，労働研究が用いてきた（たとえば「権力」のような）概念を，実践に差し戻す形で再特定化できるということである。この方針は，前節で検討したミアーズの「過剰な管理」といった概念を，それが生じた個別具体的な状況に即して理解するうえできわめて有効である．

　こうした，職場の空間使用に着目したエスノメソドロジー研究は，近年さらに蓄積しつつある。第1節で取り上げたサルヴァドーリの研究もその一つである。本節では，働く場所と働き方の関係について議論するうえでの，本書の視点を提示する。ここで考えたいのは，ある空間はそれ自体で場所として意味をもつのではなく，社会の人びとの活動との関わりのなかではじめて場所たりうるという点である。

　サルヴァドーリは行政組織や建築デザイン会社，IT企業などさまざまな企業のオープンオフィスにおける従業員の会話を詳細に分析し，従業員たちがコミュニケーションを他の従業員たちの邪魔にならない仕方で遂行するためのさまざまな技法を有していることを明らかにした（Salvadori 2017）。つまり，職場の空間がもっている意味は，空間それ自体の配置や設計の検討よりも，職場の成員が取り組んでいるさまざまな活動の検討を通して解釈されるべきであるという方針[12]を示したのである。

　こうした方針のもとになされた空間設計と従業員の活動の関係に関する研究とし

---

[12]　こうした議論は，エスノメソドロジーが積極的に意識してきたかは定かでないが，現象学的地理学の視点と重なる部分が大きい。レルフ（1999）は，さまざまな分野で言及される多様な空間概念の内容について検討するなかで，個人や集団が行う特定の空間に対する意味づけが，ある空間が場所たるうえで重要であると指摘している。この観点からすれば，単にオフィスの場所が変わったり，レイアウトが変わったりすることは，それに関わる人びとによって意味づけされるものでなければ，場所としての意味をもたない。

て，タンサーとリコップによる研究がある（Tuncer & Licoppe 2018）。タンサーらは企業オフィスにおいて，他部門への入口のドアがつねに開放されているという環境が，その入口における従業員同士のエンカウンターのなされ方とどのように関わっているのかを検討した。そのオフィスでは，入口に入るとカウンター机にその部門の受付担当者が座っており，しばしば用件のある社員がドアから入ってきて，やりとりを始める。そこで観察されたのは，開放されたドアという空間の利用の仕方と，カウンター机で始まるやりとりの関連性である。カウンターに座っている同僚社員をランチに誘おうとするとき，誘う側の社員は相手がランチタイムに入ってもよい状態かどうか様子を確認するために，ドアの直前で顕著に歩行速度を落とし，入口から覗きこむように（それでいて相手社員からは見えるように）部屋の中をうかがう。また，新任の上司が部門に挨拶にくる事例では，上司は速度を変えることなくドアを通過し，窓口の社員に話しかける。つまり従業員たちは開放されたドアという空間を，そこを訪れた用件や自らのメンバーシップを相手に伝えるために資源として利用していたのである。

　タンサーらの研究は，職場における成員の活動を観察することで，職場の空間が成員にとってどのようにして，どのようなときに有意味になるのか，つまり，そこは組織成員にとってどのような場所であるのかを検討できることを示している。共有ワークスペースの構成は，その場所が職場の成員たちによってどのような意味をもつのかにも深く関わっている。こうした観点により，職場という場所の意義を成員のさまざまな活動の進行との関連で検討でき，職場という場所の特性を先取りしてしまうことなく説明することが可能になる。したがって本書でも，サルヴァドーリやタンサーらの方針に則ってアニメーターの職場の活動を検討していく。

　ここで重要なのは，成員のさまざまな活動というとき，そこが労働現場である以上，それが指すのは「仕事としてなされる」さまざまな活動であるということだ。サルヴァドーリやタンサーらの研究は上記で述べたようにたいへん示唆に富むが，その職場でなされるべき業務それ自体を取り扱った研究とはなっていない。本書はそれに対して，労働現場だからこそなされるであろういくつかの活動に焦点を当てて議論する。具体的には，アニメーターの業務である作画作業，管理者からアニメーターになされる労務管理，主にベテランアニメーターから若手アニメーターに対してなされる人材育成という活動を取り扱う。

　このアイデアは，職場の道徳性を実践のなかで記述するという方針においても応用可能だろう。前節までで，職場の成員が用いている規範や価値に労働社会学はか

ねてから着目してきたが，それを実践のなかで十分に記述することには失敗してきたことを述べた。この背景には，何をどう記述すれば職場で用いられている規範や価値を記述したことになるのかについての了解が十分になかったことが少なくともあると思われる。ここにおいてサッチマンが行ったように，職場の成員たちが自らの職場の空間的秩序をその時どきの活動をおりなすなかで達成していくさまを記述していくという方針は，職場の実践から道徳性を記述するにあたっての基準を示しているという点で，明確な方法論となりうる。さらに職場の空間的秩序という論点は，実務家・建築学者・経営学者がそれぞれに関わりながら展開してきたオフィス研究 [13] においては触れられてきたものの，社会学的な労働研究のなかではかならずしも議論されてこなかった。この点でも本書の視点は既存の労働研究に新たな知見を付け加えるものとなるだろう。

　このことはワークプレイス研究に対する貢献でもある。管見の限り，サッチマンは組織における道徳や規範のようなトピックには言及していない。関連しうるワークプレイス研究では，山崎ら（2015）がNPOの会議場面を分析するなかで，会話の特徴が組織理念の記述にもなっていることを指摘しているが，ここでは職場の空間的秩序に関する分析はみられない。本書は，職場の成員たちが職場の空間を秩序だった形で構成していくその仕方もまた組織の規範の記述になっていると指摘する点で，ワークプレイス研究においても新規性をもっているのである [14]。

13）オフィス研究は当初は職場の成員の快適性向上という文脈で議論されてきたが，2000年代以降は知的生産性の向上や成員間のコミュニケーションの向上という論点とともに注目されるようになってきている（阿部 2014）。また職場の空間的秩序という論点に関しては，稲水（2008）が職場の成員同士の活発なコミュニケーションでは，座席間の距離が近すぎても離れすぎても問題が生じ，適切な座席間の密度が存在すると指摘している。これは座席の配置のされ方によって職場の秩序が異なってくるという点で，サッチマンが共有されたワークスペースの構成において指摘していることと重なる。しかしオフィス研究において空間の秩序を成員たちの活動の達成との関係で議論しているものは管見の限り見当たらない。

14）労働や組織の研究の文脈でなされたものではないが，團（2014）による中学校における生徒たちの成員性の分析も本研究と近い位置にある。團は休み時間の生徒たちの活動についてフィールドワークを重ねるなかで，休み時間に交換ノートを持って廊下に集まっている生徒たちが「オタク」として認識可能になっていることについて指摘した（この交換ノートには，生徒たちが共同で創作している物語が記されている）。この研究は生徒たちの文化について彼らの空間と時間の使用をふまえつつ分析したものであり，本書で紹介する研究の着想もこの研究に得た部分が大きい。

■ 3-3　実践を記述することの労働研究的意義

　前項までで，職場の道徳性を捉えるという課題について，エスノメソドロジーの方針に基づき記述を行う意義を示してきた。しかし読者のなかには，実践に即した記述を徹底していくことがいかなる意味をもっているのかについて疑問をもつ者もいるかもしれない。この点に関しては第2節でのミアーズに対する批判のなかでも言及したが，既存のエスノメソドロジー研究を取り上げつつ，再度意義を述べておくことにしたい。というのも，実践に即して記述を行っていくという方針と，本書がもつ規範的な議論の水準での意義は，密接に関わっているからである。

　筆者がミアーズに対して行った批判は，実践が十分に記述されていないことによって，具体的にどの点に対して批判や提言を行っていけば有効であるのかという問いに進んだ際に，その答えがミアーズ自身の研究のなかからは明確な形では取り出すことができない，という趣旨であった。じつはこうした批判は，エスノメソドロジストの側からかねてより向けられてきたものである。その先駆としては，組織という概念が社会の成員が常識的知識として用いているものである以上，その常識の運用に即して分析を行うべきであるという方針を提示したビットナーの指摘（Bittner 1965）にはじまり，ハーパーら（2000）も投資銀行のワーク研究のなかで，既存の組織社会学や経営学が組織変容への対応を探るものの，経験的に詳細な研究を欠いているために，対応すべき現象が不明瞭なままになっていることを指摘している。

　こうした研究があるなかで，労働社会学への批判を最も体系的に行っているのがランドールとシャロックである（Randall & Sharrock 2011）。ランドールらは，労働過程論の嚆矢であるブレイヴァマン（1978）が指摘した，資本主義労働過程においては労働者の熟練が解体していくという主張を取り上げながら，以下の3点において批判を行っている。すなわち労働社会学や組織社会学は（1）社会学的視点が一般の人びとの視点に対して特権的であるという仮定をおいている，（2）経験的なものと理論的なものを合成し，理論的なものを選好している，（3）社会科学の著作は批判的な思考を示したものであるべきという仮定をおいている，という点で批判されている。

　（1）に関しては，労働者の意識を「虚偽意識」とみなすような捉え方への批判である。（2）は経験的なデータというものはそれ自体で理論的関心を提供しており，両者は密接に関連しているはずであるのに，両者を別のものとして扱い，経験的なデータから脱文脈化した形で理論的な知見を導こうとする科学的姿勢への批判である。（3）は（1）（2）と密接に結びついているが，社会学における分析が組織のなかですでに生じている現象について批評的なコメントを行おうとする結果，そもそも

その現象が組織のなかでどのようにして生じているのかが問われないことについての批判である。これらはまとめていえば，（1）行為者自身の実践の合理性に即して分析を行うべきであり，（2）理論を先行させるのではなく，データそれ自体に備わっている認識可能性を分析するべきであり，（3）生じている現象を評価するのではなく，それがいかにして組織的文脈のなかで産出されているのかを分析するべきであるという提案をしているものといってよいだろう。これらの方針はエスノメソドロジーそのものであり，これらの議論を通してランドールとシャロックは労働社会学に対するエスノメソドロジーの重要性を主張しているものと思われる。

　こうした労働社会学や組織社会学への批判は，それ自体はかならずしもフェアなものとはいえない。ランドールらも意識していることだと思われるが，労働社会学者の研究関心には現状の労働問題の改善が含まれており，それに対してエスノメソドロジーがいかなる知見をもたらしうるかが明確に示されていないからである。

　それでは実践の記述を志向するエスノメソドロジーは，どのようにして現状の改善につながるような知見をもたらしうるのか。ここでもサッチマンの研究が重要な参照項となる。

　サッチマンは近年の研究において，戦闘状況において戦闘員と非戦闘員を区別しながら戦闘員だけを攻撃するとされる自律型致死兵器システム（Lethal Autonomous Weapon Systems：LAWS）が，少なくとも現状では戦闘員と非戦闘員の識別が困難であり，非戦闘員を殺傷して国際人道法に違反する可能性があることを指摘している（Suchman 2017）。軍隊における戦闘員の活動においては，つねに周囲の状況だけではなく作戦の進行状況などを細かく把握する必要がある。そのなかで戦闘員は作戦において，規則に従った行為（action-according-to-rules）を行う必要があるが，人間の行為の場合，そこで従われる規則というものをすべて完全に特定化することはできない。しかし，LAWSを運用するにあたっては，あらかじめ戦闘状況のなかで規則に従った行為がなされるように，機械が実行可能なコードを設定しておく必要がある。サッチマンは，現在の人工知能技術は急速に発展しているものの，こうした人間の行為を可能にしている規則を機械が実行可能な形に翻訳できる確証が今のところはなく，そのなかでLAWSを運用することは国際人道法に背くことになると主張している。

　ここでは，軍隊の活動のなかでの規則の運用に焦点を当てることによって，それを機械言語に翻訳していくことの現状における困難さが指摘されている。ここでサッチマンが行っているのはLAWSの非人道性を規範的な前提として批判するこ

とではなく，人間の規則の運用の特徴を精査することによって，規範的な議論の準拠点を用意することであると思われる。つまり，人工知能技術が発展することにより人間が規則を運用するのと同じ水準で LAWS が運用できるのであれば，少なくとも国際人道法の観点からは LAWS は許容されうるかもしれない。いずれにせよ LAWS の是非について議論するのは明らかに本書の範囲を超えるのでここではこれ以上踏み込まないが，サッチマンが実践の記述を行うことで，規範的な議論の準拠点を（再）設定するという形で規範的な議論への貢献をもたらしているということは確かである。言い換えるのならば，規範的な議論の論点設定を行う際に，外してはならない，もしくは所与の条件として考えなければならない，現実に成立している秩序を明らかにすること——これが実践を明らかにしていくことの意義であるといえるだろう。

　本書においても，とくに成員の空間の使用の仕方に焦点を当てつつさまざまな実践のなされ方を記述することによって，現状のアニメーターの労働問題を考えていく際の準拠点を提供することを目指している。本書の分析から，成員の空間使用における秩序は，今後アニメーターの労働問題の改善等を検討していく際にふまえておかねばならない条件を提供することが明らかになるだろう。

4　小括と本書の構成

　ここまで，本書がアニメーターの労働現場を捉えるためにどのような視点に依拠するのかについて議論を行ってきた。改めて要約すると，以下のようなことを述べてきた。

　第1節では，アニメーターの労働問題を議論するうえでの本書の論点を設定することを試みた。アニメーターの労働については，その組織の内実を問う視点が蓄積してこなかった。とくにアニメーターの場合，多くがフリーランスでありながらもスタジオに集って働くということが特徴である。そこで，アニメーターがいかにして自らの仕事に関する自由と集って働くことを両立させているのかという点が論点であり，それを可能にする職場の道徳性を捉えることが重要であることを示した。

　第2節では，職場の道徳性に関する労働社会学の知見を検討した。とくにマイケル・ブラウォイの同意生産論に着目し，職場に存在している規則と，それを用いる実践を捉えることが重要であることを示した。そのうえで近年のすぐれた業績であるミアーズの研究を検討した。ミアーズの研究は仕事に直接関わらない職場外のや

りとりでも同意生産が行われることを示した点で重要であるが，そうした同意が破綻する際の実践の記述が十分になされていないために，本来の関心であるはずの不払い労働への批判がうまく構成できていないことを指摘した。

　第3節では，労働社会学における適切な記述の不在を乗り越える方針として，社会学におけるエスノメソドロジーの視点を検討した。社会的行為の説明可能性や相互反映性に着目するエスノメソドロジーでは，行為とそれがなされた状況がいかに互いを理解可能にし合っているのかを分析せねばならず，これこそミアーズに欠落していた視点であった。そのうえで，本書では働く場所という論点が含まれていることから，エスノメソドロジーのなかでも成員の空間使用に着目したサッチマンの「共有ワークスペースの構成」という考えを取り上げた。そこでは，成員が職場の物的環境を資源としながらその場の秩序をいかに達成しているのかが重要な問いとなる。一方でこうした実践の詳細に着目する議論は労働研究者からみればその職場の労働の内実を捉えたものにはみえないこともあるが，実践の詳細を通して達成される秩序を記述することは，その職場や労働がどうあるべきかといった規範的議論の基盤を用意するものでもあり，むしろ重要な課題であることを指摘してきた。

　このように本書の視点を提示したところで，ようやく本書が行う各章の分析の見取り図を示すことができる。本書では，アニメーターの労働をめぐる諸条件（第1章）と筆者がフィールドワークを行ったX社の概要（第2章）を示したうえで，X社における経済活動として，生産活動（第3章）・労務管理（第4章）・人材育成（第5章）の営みを取り上げ，それぞれの実践について分析していく。そのなかでも空間的秩序に関する論点には適宜触れていく。それを確認したうえで，とくに職場におけるアニメーターの自由が成員によって配慮されていることが見出せる事例を分析し，あらゆるやりとりにおいて空間的秩序が達成されていることを示す（第6章）。

　より詳細に述べると，本書の構成は以下のようになる。

　第1章では，アニメーターの仕事について理解するために必要な制作工程や仕事内容等に関わる情報を整理し，さまざまな分野でアニメーターの仕事に言及した先行研究を検討する。そこでは，組織の一員としてのアニメーターという労働者像の重要性が再度確認される。

　第2章では，筆者が行った調査内容について説明する。本書の執筆にあたって行ったX社における3ヵ月間の職場観察（37回・約160時間）に加え，さらにアンケート調査，インタビュー調査，ビデオ撮影等についてそれぞれの概要を記述する。さらに，X社における実践の詳細に踏み込む前段階として，X社という制作会社の

概要について説明する。具体的には，人員的構成と労働条件，成員のおおまかな経済活動のルーティーンと職場観察を行った3ヵ月間における企業としての課題の変化，スタジオ内の間取りや物の配置などの空間的条件についてまとめる。さらに，第4章以降の分析で取り扱われる実践の意味について前もって理解してもらうために，筆者が実施したインタビュー調査とアンケート調査から，X社で働くアニメーターたちがどのような労働意識をもって働いているかを大まかに確認する。

第3章では，取得されたビデオデータの分析を中心に，アニメーターたちが作画机というごく限られた空間で就業時間の大半を過ごしながら，場所の離れた他の企業の成員との協働をどのように達成することが可能になっているのかについて分析する。そこでは，アニメーターの労働過程が，それ自体は作画机の上で他者との関わりを必要とせずに完結していることが示される。

第4章では，フリーランサーたちに対してなされている労務管理的な実践について扱い，労務管理がなされることでさまざまな問題が解決されていることを指摘する。具体的には，アニメーターが新たな仕事を獲得したり，業界特有の事情による不安定性に対処したりするなど，個人で働くか組織で働くかにかかわらずアニメーターが抱えている問題に対して，労務管理を担うマネージャーという労働者を中心として解決が試みられていることを示す。

第5章では，X社における人材育成の営み，具体的には技術的な指導がどのようにしてなされているのかについて分析を行う。X社内においては制度的に特定の者が新人などへの指導を行うことになっており，調査時は社長が複数名の指導を行っていた。さらに後輩から先輩への相談が行われたり，X社を訪れたOBが若手アニメーターに指導を行ったりする。また，社内に設けられている「上り棚」という完成した原画を置く場所では，他のアニメーターが描いた原画が参照されることもあり，他社との協働を行う場であると同時に社内のアニメーターの学習の場ともなっていることを示す。

第6章では，前章まででもたびたび言及するアニメーターの活動と空間の関わりを通して，X社においては他者の作業を中断させないという規範が作動し，成し遂げられていることを示す。そして，こうした配慮を相互に行うことによってX社の秩序が成員間の相互行為において成し遂げられており，X社独自の労務管理や人材育成の活動が可能になっていることを指摘する。

終章では本書の結論とインプリケーションについてまとめる。

01 アニメーターの労働を
めぐる諸前提

1 はじめに

　本章では，分析に先立ち，アニメーターについて，そして本書における調査対象であった作画スタジオ X 社の位置づけについて理解するための前提情報を提供する。

　本章の構成は以下のとおりである。第 2 節では商業アニメーション製作において個々の企業やアニメーターにとって外的環境となっているビジネスモデルや制作フローについて解説する。第 3 節ではそうした環境のもとで，アニメーターという労働者が具体的にどのような職務に従事しているか，どのような労働条件のもとで働いているのかについて，すでに実施されている実態調査報告書をもとにまとめる。

2 商業アニメーション製作をめぐる企業間関係と制作工程

　まずは商業アニメーションが製作される際のビジネスモデルについて確認しておく。本書はアニメーションをビジネスという観点から論じるものではないが，制作会社の収益構造はアニメーターの報酬や働き方，そして何より企業経営に直接影響を及ぼす重要な要素である。このことを通してアニメーターという労働者や調査対象である X 社の業界におけるおおまかな位置を示すことができる。

　図 1-1 は，アニメビジネスにおける諸アクターとその収入と支出の内訳，そして資金の流れを示しているものである。図が示しているように，アニメビジネスに関わるアクターには，テレビ局，DVD 販売会社，キャラクター事業者，海外業者，製作委員会，元請制作会社，下請制作会社がある。このうち製作委員会とは，これらすべてか一部のアクターが資金を出資し，作品製作を統括する委員会を指す。この

製作委員会はたいてい，作品ごとに組織される。

　本書の内容に先だって理解していただきたいのは，アニメ制作会社の位置である。図にあるように，元請制作会社は製作委員会に出資された制作費の範囲内で作品を制作し，下請制作会社に払われるのは元請に払われた額のまた一部になる。このような下請構造があることは，アニメーターが低労働条件になることの一要因をなしている。

　本書の対象となる X 社は，このモデルのなかでは下請制作会社に位置づけられる。当然のことながら，元請制作会社よりも下請制作会社の方が収入源が限られるため，経営はきびしくなる傾向がある。X 社はそうした位置にありながら 40 年以上の歴史をもつという点で特異な企業である。そこにはきびしい環境のもとでも存続を可能にするノウハウがあると考えるべきだろう。

　ビジネスモデルについて理解したうえで，実際に放映されるアニメーション作品がどのようなプロセスを経て制作されるのかについても確認しよう。図 1-2 には，アニメーション制作の全体の流れを示してある。

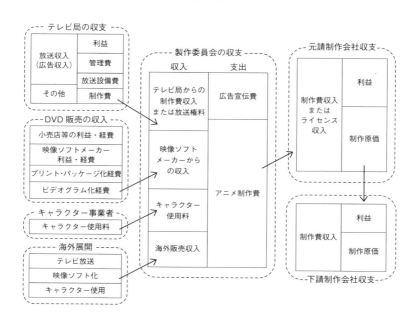

図 1-1　アニメーション産業のビジネスモデル
（ヒューマンメディア（2013），谷口・麻生（2010）をもとに筆者作成）

　アニメの制作[1]工程は，大きく三つの段階に分けることができる。すなわちプリプロダクション，プロダクション，ポストプロダクションの三つである。このうちアニメーターが関わるのはプロダクション工程であるが，全体の流れを把握しておくことはアニメーターの労働を理解するうえでも重要なので，それぞれを説明していく。

　プリプロダクション（pre-production）工程は，一言でいえば作品制作に取りかか

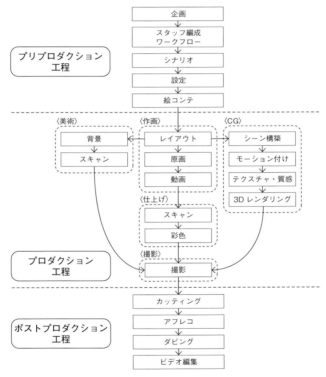

図 1-2　アニメーション作品の制作工程
（日本アニメーター・演出協会（2009）をもとに筆者作成）

1）コンテンツ産業においては，「製作」と「制作」は厳密には同意味ではなく，前者が後者を包含する関係になっている。すなわち，「制作」とは具体的に作品を作る作業のことをいい，「製作」とは作る前後にある企画や販売などを含んだ広い意味での作品展開のことを示している。

る前の企画の段階といえる。具体的には，作品を統括するプロデューサーが立てた企画に基づいて，脚本家によるシナリオ，キャラクターデザインによるキャラクター設定など，作中の設定が作成され，これらに基づいて絵コンテが作成される。絵コンテとは次節でくわしく紹介するが，プロダクション工程が具体的に作業を行うための絵入りの指示書としての機能を果たすものである。

図 1-2 においては固定的な流れがあるかのようにみえるが，これらの段階は必ずしも決まっているわけではない。マンガや小説の原作者がプロデューサーに企画を持ち込む例や，絵コンテからシナリオが作成される場合など，作品によってその流れはさまざまである。

いずれにせよ重要なのは，この工程は具体的な作品制作がなされるための準備の段階であり，かつ作品のメインスタッフによって担当される部分であるということだ。とりわけ絵コンテ・演出・監督などはアニメーターとしての職能をもつ者が担当することも多い。

プロダクション（production）工程は，文字通り作品制作が行われる工程である。そしてこの工程はさらに五つに分類される。すなわち，作画・仕上げ・美術・CG・撮影である。アニメーターが担当するのはこれらのうち作画部門である。以下，作画部門を中心に五つの工程を簡潔に説明する。

第一に作画部門である。作画部門はレイアウト→原画→動画の順で制作が行われる。

レイアウトとは，絵コンテに基づき，作中の連続した一場面（カット）ごとに画面構成を起こす工程である。レイアウトには場面の背景，キャラクターの位置，移動範囲，カメラワークが記載される。

原画とは，各場面において，主にキャラクターの動きの要所が描かれた画を指す。原画はレイアウトに基づいて作成される。

動画とは，原画に基づき，各原画を清書し，その間を埋める画（＝中割り）を作成する工程である。主な作業は中割りの作成である。視聴者が作品中で目にするのは動画工程にて作成されたものに，仕上げによって着色がなされたものである。

第二に仕上げ部門である。仕上げ部門は作画部門の作業を受け継ぎ，スキャン→彩色の順で制作が行われる。

スキャンとは，動画をスキャナで電子データ化することである。2019 年現在ペンタブレットを用いたデジタル作画も普及しつつあるが，紙ベースで行われる作業も未だに多いため，ここでデジタル化をする必要がある。

　彩色とは，文字通り電子画像化された動画に色を塗ることである。デジタル化が進む前は，動画はトレース作業によってセル画と呼ばれるものに写し取られ，そのセル画に色が塗られていた。しかし現在では動画よりあとの工程はほぼ完全にデジタル化されているためにほとんどセル画は用いられない。

　第三に美術部門である。美術部門はレイアウトを引き継ぎ，作品の背景画を描く工程である。背景はデジタル化が進んでおり，紙ではなく PC 上で描かれることが多くなっている。この場合スキャン作業は必要ないが，紙で描かれた場合は作画と同じくスキャン作業が必要になる。

　第四に CG 部門である。CG 部門はシーン構築→モーション付け→テクスチャ・質感→3D レンダリングの順で行われる。

　シーン構築は場面の設計をする工程である。モーション付けでは必要な動きが設計され，テクスチャにおいて質感がさらに加えられる。レンダリングとは，PC 上の計算により実際に映像が作成される工程である。

　第五に撮影部門である。撮影部門は仕上げ・美術・CG を引き継いで最後に行われる工程である。各工程の成果物を専用ソフトなどを用いて統合し，完成品の素材としての映像を作成し，ポストプロダクション工程へと引き継ぐ。

　以上がプロダクション工程の説明である。アニメーターの労働と関連する部分として確認しておきたいのは，作画部門を担当するアニメーターたちはこれら他の部門と連携をしながら作品制作をしているということである。とりわけ作画部門の作業が遅れると仕上げ部門に直接悪影響が及ぶことが制作フローをみるとわかる。

　ポストプロダクション（post-production）工程では，撮影部門を経て音響以外はほぼ完成品と変わらない状態になった映像をもとに，編集や音響録音などが行われ，最終的な完成品を作成する。

　この音響には声優による音声も含まれるが，多くの作品では制作スケジュールが逼迫しているために，声優によるアフレコ（音声の吹き込み）は原画が完成したあたりで開始されることが多く，実際にはプロダクション工程と並行でなされることが多い。

　また，ポストプロダクション工程を経た完成品は，フルデジタル化が完了しており，フィルムとしてダビングが行われることはない。プロダクション工程で作成されたレイアウトや原画・動画も制作完了後一定期間の経過に伴い破棄されることが多い。しかし場合によっては制作スタッフへのフィードバックとして，スタジオに戻されることもある。

　ここまで各工程の流れを確認してきた。アニメーターが関わるのは主にプロダクション工程の作画部門，そして一部のプリプロダクション工程の絵コンテや，フローのなかには明示されていないが監督や演出といった役割である。X 社のアニメーターも各々がこれらのいずれかの仕事を請け負う形で日々の仕事を行っている。次節ではこれらの職種に関してさらにくわしい説明を行っていく。

3　アニメーターの職務と労働条件

　本節ではアニメーターが担当しうる職務について説明し，それぞれの職務の者がどのような労働条件のもとにあるかについて説明する。

　まずはアニメーターの職務についてである。一般的に上流工程として位置づけられる職務から並べると，①監督，②演出，③絵コンテ，④キャラクターデザイン，⑦作画監督，⑤原画，⑥動画がある。ただし②③④に関しては明確な工程上の上下関係はほとんどない。また，作画監督・原画・動画の順序が前後しているが，これは説明上原画・動画についての説明をした後の方が作画監督の職務が理解しやすいためである。

■3-1　監　　督

　映画などの監督と同じく，作品制作において現場スタッフを指揮し，作品の内容について最終的な責任を負う者である。監督は必ずしもアニメーターとしての経験を有する必要はないが，実際には経験者が多い。これはスタッフに指示を与える場合に，言葉で伝えるよりも絵で実際に描いて見せてしまった方が意図を伝えやすいことが多いという伝達上の理由によるものである。

■3-2　演　　出

　監督の意図に基づいて作品を構成し，キャラクターの演技をつけ，作品全体の方向性を指揮する者である。監督や絵コンテと兼任されることも多い。これもアニメーター経験者が担当する必然性はないが，監督と同様の理由で経験者が多い。

■3-3　絵コンテ

　絵コンテとは，作中の各場面作りの基礎となる連続した画付きの台本である。内容としては台詞，効果音，レイアウト，演出指示，カメラワーク，効果，BGM な

どが書き込まれる。絵コンテは細分化された工程間分業のなかで，最も重要な指示書であるといえる。絵コンテ担当者は監督か演出と兼任されることが多い。

■3-4　キャラクターデザイン

作中に登場するキャラクターを創作する。原作がないオリジナルアニメの場合は一から設定を作成する。漫画や小説などの原作が存在する場合は，原作のキャラクターをもとに，アニメにする場合の作画のしやすさを考慮しつつ，服装・持ち物，表情などを設定する。このように実際に作画がなされる段階のことを理解していなければならないため，アニメーター経験者が担当するのが望ましいとされており，実際経験者が務めることが多いようである。また，作中においてロボットや銃器などが登場する場合，その作画に関して専属のデザイン担当者が配置される場合もある（これは作画監督においても同様）。

■3-5　原　　画

絵コンテに沿って画面を設計し，演出が要求する動きや演技を絵に描いていく作業を担当する。絵コンテをもとにレイアウトを作成するため，監督の演出意図を理解し，それを実現するための場面構成，人物配置，カメラワーク，演技などを自ら描く。なお，原画が担当する一つひとつのシーンや動きは，「カット」という単位で数えられる。

1話あたりの実放送時間が23分程度のテレビアニメシリーズの場合，総カット数は300 ～ 400程度で，各話10 ～ 20名強の原画が配置されることが多い。ただし現在では作画の細分化がされており，一人の原画マンが担当するのは数カット程度になり，代わりにさらに多数の原画マンが起用されることも多い。

また，近年は原画工程を二段階に分けることが多い。具体的には，絵コンテからレイアウトを作成する者と，ラフに描かれたレイアウトを清書する者である。前者がレイアウトラフ原画（LOラフ原画）または第一原画と呼ばれ，後者は第二原画（二原）と呼ばれる。

■3-6　動　　画

動画とは，原画をクリーンアップし，原画と原画の間をつなぐ画（動画もしくは中割り）を作成するアニメーターのことである。テレビシリーズの場合は，総動画枚数は3,000 ～ 5,000枚程度に及び，各話につき30 ～ 40名の動画が配置されること

が多い。

アニメーターという職業に就いた者は多くの場合この動画工程の仕事に最初に就く。それから制作会社によって定められた基準を満たすと原画を担当するようになるケースが多い[2]。

また，動画工程は海外への委託が進んでおり，海外で処理されている動画は約8割にも及ぶという。

■ 3-7　作画監督

作品の各担当話数，または担当シーンにおける作画の責任者である。具体的には，原画に修正を入れて動きや絵のクオリティを引き上げる。また，原画マンによって微妙に異なる絵柄を統一する。これもキャラクターデザインと同じく，特定の作画に限定して作画監督が置かれることもある。

また，近年は作画監督が複数人配置されることも常態化しており，その場合それらを統括する責任者として「総作画監督」という職務が設定されることもある。

■ 3-8　職務ごとの労働条件

このようにアニメーターの職務を一通り説明したうえで，それぞれの職務の労働条件についても確認しておこう。表1-1は日本アニメーター・演出協会（2015）のデータをもとに，1日あたりの平均作業時間・1ヵ月あたりの平均休日数・平均年間収入についてまとめたものである。なお，これはアニメーター全体についての数値を示したもので，X社のメンバーの平均ではない[3]。

表1-1をみると，どの職務もおおむね1日の作業時間は10〜11時間で，休日は4日前後，つまり週1日程度であることがわかる。さらに平均年収に関しては職務間で大きく異なることがわかり，監督・総作画監督では500〜600万円台であるのに対して，動画や第二原画では100万円台となっている。上流工程の職務に関わることができれば比較的安定するものの，初期キャリアにおいて主に従事することになる動画・第二原画や，ベテランでも従事している者の多い原画工程において，アニメーターはきびしい労働条件のもとにあるということができるだろう。このよう

2）動画マンが経験を積んだのちに担当する工程としては，他に動画検査という工程がある。これは文字通り，作成された動画の質をチェックし，必要に応じて修正を行う工程である。
3）X社のメンバーのうち，筆者が独自に実施したアンケート調査で回答が得られた者に関しては，平均年収を記載している。第2章の表2-2を参照。

表 1-1　職業別平均作業時間・休日数・年間収入
（日本アニメーター・演出協会（2015）より筆者作成）

	n	1 日平均作業時間 （時間）	1 ヵ月平均休日 （日）	平均年間収入 （万円）
監　督	19	10.4	3.2	648.6
演　出	41	10.3	4.5	380.3
絵コンテ	12	10.0	5.0	372.3
総作画監督	14	11.4	3.6	563.8
作画監督	55	10.8	4.4	393.3
原　画	129	10.3	4.2	281.7
レイアウト	13	11.5	3.4	234.1
第二原画	20	10.4	4.5	112.7
動　画	56	11.3	5.1	111.3

な状況のなかではいかにして若手アニメーターが一定水準に稼げる技術を身につけるかが重要となり，これは企業側にとっては人材育成をいかにして実施していくかという問題として浮上してくる。この点は X 社も同様であり，X 社での人材育成の取り組みについては第 5 章にて言及する。

　また，個々のアニメーターがどの職務を担うことになるかは作品ごとに決まってくるため，一度上流工程の職務を担ったからといって，次の作品でもそこに留まれる保証はない。3 ヵ月間だけ総作画監督を担い，次の作品では第二原画を担当する，ということも頻繁に起きる。アニメーターにとっては，継続的に稼げる仕事を得ることは日々の作画作業以外の情報収集にコストを費やさなければならないため容易ではないが，この点を X 社ではどう解決しているかについても第 4 章で言及する。

　最後に，個々のアニメーターが請け負った仕事ごとに得られる単価とその契約について確認しておこう。

　表 1-2 は日本アニメーター・演出協会（2009）から得られた，テレビシリーズ作品における仕事を請け負った際の単価についてまとめたものである。おおむね上流工程の方が単価が高いことがみてとれるが，注意しなければならないのはその単位である。監督から作画監督までは月単位であるのに対して，原画・レイアウト・第二原画はカット単位，動画は枚数単位となっている。このように，原画以降の工程はとくに，カット数や枚数ごとの出来高で報酬が支払われる形式を取っていることが多い。また作画監督などの上流工程に関しても，話数ごとに報酬が定められること

表1-2 テレビシリーズ作品の単価（ただし監督・演出・絵コンテは回答者一名のみ）
（日本アニメーター・演出協会（2009）より筆者作成）

	単　位	平均値（円）	最大値（円）	最小値（円）
監　督	月	450,000	450,000	450,000
演　出	月	300,000	300,000	300,000
絵コンテ	月	300,000	300,000	300,000
キャラクターデザイン	月	307,143	420,000	30,000
総作画監督	月	314,000	500,000	150,000
作画監督	月	315,294	500,000	160,000
原　画	カット	3,966	20,000	1,500
レイアウト	カット	2,174	4,000	1,500
第二原画	カット	1,720	2,500	1,000
動　画	枚	201	400	19

もある。表1-2における単位は便宜上のものであり，実際の単位は個別の契約ごと
に定まるものと考えた方がよい。

　その契約においてふまえておくべきなのが，「拘束契約」というアニメ業界特有の
契約の形式である。原画マンや動画マンは出来高制での報酬を受け取る場合が多い
と述べたが，アニメーターは，一つの作品から得られる報酬はそれほど大きくなく，
かつつねに仕事が途切れるリスクにさらされているため（第4章第3節を参照），複
数の作品を掛け持ちして対応するという手段を取る傾向にある。この場合，当然の
ことながらアニメーターの個々の作品への関与は分散することになる。

　だが発注する企業側が，特定の高い能力をもつアニメーターに対して，別の作品
への関与をせず，自社作品にのみ集中してもらいたいと要望することがある。この
際にもちかけられるのが「拘束契約」であり，別の作品への従事を禁止もしくは制
限する代わりに，比較的高い水準の固定給を支払う。この拘束契約はアニメーター
が安定した収入を得るためには重要であり，この契約をより高い固定額で獲得する
ことは，受注側の関心事ともなる。この点は第4章において報酬水準の交渉がなさ
れる場面の分析において重要なトピックとなる。

4　小　　括

　本章では，アニメーターの労働をめぐる諸条件についてまとめたうえで，関連す

る先行研究についてレビューを行ってきた。第2節では，商業アニメーション製作
をめぐるビジネスモデルについて言及して，本書の調査対象であるX社という企
業が，一般に経営のきびしい下請制作会社という位置にあること，それにもかかわ
らず40年以上の歴史をもつことが注目に値することを確認した。また作品の制作
工程全体におけるX社のスタッフの位置づけについても確認した。第3節では，
アニメーターの職務と労働条件について確認し，仕事の不安定性への対処や人材育
成といった問題が企業活動のなかで重要とならざるをえない条件のもとにあること
を指摘した。

　本章で示した内容は，日本のアニメ産業をめぐる全体状況であることから，当然
X社にも関わりがある。しかしその一方で，あくまでも本章の内容は平均的な像で
あることから，個別企業では重なる部分，重ならない部分もあるだろう。このこと
をふまえて，次章では筆者が行ったフィールドワークの内容を説明するとともに，
X社独自の特徴についても議論を行う。

02 X社というフィールド

1 はじめに

　本章では，本書の問いを解明するにあたって行った調査の概要について説明し，そのうえで対象となった東京都内にある制作会社X社の概要を紹介する。それを通して，第3章以降の議論を理解するために必要な情報を提示する。

　本章の構成は以下のとおりである。第2節では筆者が行ったフィールドワークの日程や調査内容について確認し，調査の輪郭を描く。第3節ではX社の人員的構成を確認し，各スタッフの役割や，X社で働くアニメーターに関わる特殊な制度的条件を説明する。第4節では職場の空間的秩序を分析するうえで重要な，職場のデザインについて詳細に説明する。そこでは第3章以降の分析がイメージされやすくなるよう，職場に配置されている物や道具などについて解説する。さらに第5節では，筆者が調査から得たアンケート結果とインタビューデータを用いて，X社の相対的な労働条件・満足度・認識されているメリットを明らかにしたうえで，それでもスタッフ間には内包されている緊張があることを指摘する。

2 調査概要

　筆者は，2017年1月から4月にかけて，東京都内にある制作会社X社において総合的なフィールドワークを行った。週3回程度継続的にX社に通い，職場で行われている実践についてのフィールドノートへの記録，許可をいただいた方へのインタビュー調査・ビデオ撮影，さらに社内スタッフ全員を対象としたアンケート調査を実施した。

調査を実施するにあたっては，X 社の小笠原社長（以下，人名はすべて仮名である）と事前に打ち合わせをさせていただいたうえ，曜日によって職場の様子に大きな変化はないこと，毎日 5 ～ 9 時の時間帯は原則としてスタッフは退出する決まりとなっていること，さらに午前中は出勤者がごく少数であるという情報を得た。この情報をもとに，調査対象とする時間帯を 13 時～翌日 5 時までと設定し，これを（A）13 ～ 18 時，（B）18 ～ 23 時，（C）24 ～翌 5 時に分けたうえで，各時間帯での調査がおおむね同じ回数になるように，週 3 回ずつ（原則火曜・木曜・土曜）X 社において調査を行った。本書で用いたさまざまな調査方法のねらいについては後に説明するが，調査時間の大部分はフィールドノートの記録に費やされている。

なお，調査期間を 1 ～ 4 月という 3 ヵ月間に設定した理由は，3 ヵ月がテレビアニメ放送期間の一つの単位（3 ヵ月が 1 クールと呼ばれる）となっており，これが制作現場にも大きな影響を及ぼすと思われたためである。実際にクールの変わり目である 3 月末から 4 月初頭にかけてはスタッフが関わる作品や職場内の人の出入りに一定の変化がみられた。このことの詳細については後に述べる。

当初の予定では各時間帯 13 回ずつ，計 39 回の調査を予定していたが，実際の調査は筆者自身の体調不良などの都合で数回の休みや日程変更・追加を経たうえで行われた。表 2-1 は，筆者が実際に X 社内で調査を行った日と，その時間帯をまとめたものである。X 社への入室時間・退出時間・滞在時間に加え，社内全体で行われるミーティングやイベントがあった日や筆者がフィールドノートへの記録以外の調査を実施していた日に関しては備考にその旨を記してある。調査は当初計 39 回を予定していたが，結果として 37 回，合計の調査時間は 164 時間 49 分となった。

この調査ではフィールドノートへの記録，インタビュー，アンケート調査，ビデオ撮影を行っている。それぞれの目的と調査内容を以下にまとめておく。

調査時間の大部分を費やしたフィールドノートの記録においては，X 社内のメンバーがいつ（何時何分），どこで，何をしていたかに関する記録を蓄積した。本書の大部分は，このフィールドノートの記録と，次節以降で紹介する X 社の座席表に記された各員の位置とをあわせて分析することによって展開される。

アンケート調査では，X 社のメンバーの年齢や職務，労働条件などの基本情報に加えて，日本アニメーター・演出協会（2015）の調査を参考に職務満足度などの調査を行っている。

インタビュー調査では，アンケート調査を受けて対象者のうち承諾をいただいた方に，アニメに関する仕事を目指したきっかけや X 社に入社したきっかけなどの

表 2-1　X社への調査日程と時間帯

回数	日付	入室時間	退出時間	滞在時間	備考
1	1月19日	13：55	18：02	4：07	14〜15時全体ミーティング
2	1月21日	18：04	23：11	5：07	
3	1月24日	13：01	17：38	4：37	
4	1月26日	18：05	23：00	4：55	
5	1月29日	0：06	5：05	4：59	
6	1月31日	18：10	22：55	4：45	
7	2月5日	23：53	4：55	5：03	
8	2月8日	0：08	5：30	5：22	
9	2月10日	14：05	18：00	3：55	
10	2月11日	18：06	22：54	4：48	
11	2月14日	13：50	18：05	4：15	
12	2月17日	0：30	5：30	5：00	
13	2月18日	18：25	23：05	4：40	
14	2月24日	0：04	4：55	4：51	
15	3月1日	0：09	4：27	4：18	
16	3月2日	18：39	23：00	4：21	
17	3月4日	13：30	18：03	4：33	
18	3月9日	13：50	18：13	4：23	
19	3月12日	18：20	21：56	3：36	
20	3月15日	0：10	4：30	4：20	
21	3月16日	14：00	18：00	4：00	
22	3月19日	0：05	4：06	4：01	
23	3月23日	14：15	18：28	4：13	
24	3月24日	14：40	16：30	1：50	全体ミーティング・アンケート調査配布
25	3月25日	19：15	22：52	3：37	
26	3月28日	14：15	18：30	4：15	
27	3月31日	0：15	4：40	4：25	
28	4月1日	18：30	22：50	4：20	
29	4月4日	12：30	22：35	10：05	12時半〜16時お花見・18〜19時インタビュー
30	4月5日	17：00	18：30	1：30	インタビュー
31	4月7日	0：45	5：00	4：15	2〜3時インタビュー
32	4月7日	13：10	18：03	4：53	13時半〜15時・16〜18時インタビュー
33	4月12日	0：15	4：30	4：15	
34	4月13日	19：10	23：00	3：50	19時半〜21時インタビュー
35	4月15日	12：50	18：10	5：20	13〜15時・16〜17時ビデオ撮影
36	4月19日	0：10	4：30	4：20	
37	4月20日	19：15	23：00	3：45	
			合計	164：49	

キャリアに関する情報を語ってもらうのと同時に，アンケート調査だけでは捉えきれない内容についての質問を行った。

　ビデオ撮影は，フィールドノートでの記録がとりわけ難しかった作画机上での作画作業を捉えるために行われたもので，動画・第二原画・原画担当者各1名に対して各1時間程度，作業の撮影を行った。

　このようにさまざまな手法を組み合わせて網羅的な調査を行うことにより，X社におけるメンバーの実践を包括的に捉えることを試みた。ただし先に断っておきたいが，これらで収集したデータのすべてを本書における論証に用いるわけではない。本書における焦点はあくまでメンバーたちが空間的秩序を遂行していく事態に当てられており，そのことがメンバー自身によって取り組まれていると思われるデータを中心的に扱っていく。こうした現象を最も端的に示しているデータがフィールドノートにおける記録（＋座席表）であり，これが主要なデータになる。

　序章で紹介したサッチマンの議論にふれたことのある読者であれば，ここでデータの適切性に関して疑問をもつかもしれない。すなわち，サッチマンの研究は専らビデオ撮影された人びとの行為について分析しているが，それと同じことをフィールドノートで行うことは妥当なのか，ということである。この点については先んじて妥当性を主張しておく必要性があるだろう。

　たしかにサッチマンのようにメンバーの実践すべてをビデオで捉えることができれば，データとしてそれに越したことはない。しかしサッチマンの事例においてビデオが分析にあたり有効に機能したのは，たとえば通信室内で起きている出来事に対してメンバーがそろって目線を向けるような，非言語的な身体的志向などが，通信室内の秩序と密接に関わっていることがみてとれたからである。もちろんX社内でもこうした現象がないとはいえないが，次節以降みていくように，X社内の空間には仕切りなどが多く，多くの場所で視界がさえぎられている。このため，一人のスタッフが身体的志向を変更したとしても，社内の多くの別のスタッフからは観察されないため，それが社内全体の秩序に影響を及ぼすことは非常に起こりにくい。もちろん大きな音を立てるなどすれば他者の活動に影響を及ぼすことも可能なのであるが，本書が明らかにするのは，むしろ，X社内では他者の活動に干渉する行為がなされないように配慮が行われているということである。

　また，サッチマンの事例においては通信室のスタッフは各々の席をもつとはいえ，その場の業務の進行状況においてつねに位置を変えながら職務をこなしていた。この点については，アニメーターたちがいつどのようなときにどのスペースを使って

いるのか，そしてその場所で何を行っているのかがわかるだけでも十分にその場に
どのような空間的秩序が備わっているのかは分析可能であり，そしてこの水準の記
述はフィールドノートでも十分に果たせるのである。もちろん，一部のフィールド
ノートには身体的志向などが記録されているものもあり，それを活かした分析も次
章以降では展開される。それぞれの分析の妥当性に関しては各々の分析の水準で判
断されるしかないが，その妥当性において十分な考慮を行ったものであることは先
んじて述べておきたい。

　このように調査の概要について述べたうえで，次節以降ではX社の概要をまと
めることにしよう。

3　X社の人員的構成

　本節では，作画スタジオX社における3ヵ月間のフィールドワークから得られ
たデータをもとに，この組織を構成する制度的条件についてまとめる。次章以降で
はX社内でなされているさまざまな活動の詳細を分析していくが，本章の内容は
その前提情報となるものである。

　X社は，東京都内にある作画スタジオであり，商業アニメーション製作の作画工
程の一部を請け負う企業である。調査を行った2017年の時点ですでに40年以上の
歴史をもち，さまざまな企業が独立しては倒産していくことが顕著なアニメ業界で
は老舗といってよい企業の一つである。業態としては，基本的にX社が作品制作
全体の発注元となったり（元請），1話分の制作全体を請け負ったり（グロス請け）す
ることはない。原則としては社内に所属しているアニメーターが各々に請け負う作
品を決定しており，一つの作品を制作する会社というよりは，タレントを抱える芸
能事務所のような色彩が強い企業である。

　まず，X社の人員構成について確認しておこう。表2-2は，アンケートの取りま
とめから得られた，X社におけるメンバーの構成である。X社には全員で40名の
スタッフが在籍しているものの，多くのスタッフが出向（後述）しており，X社を
働く場所としていない者も多かったため，アンケートを全員に配布できず，40名全
員のデータは得られていない。表の上原より上に名前のある者がアンケートを回答
していただいた方，それより下に記されている者はアンケートは回答していただけ
なかったが，筆者がフィールドワーク中に作業していたり話していたりするのをみ
かけた方である。後者のうち数名は筆者のフィールドワーク期間を通してX社を

表2-2　X社の人員構成

仮名	性別	年齢	経験年数	2016年の主な仕事	2016年の収入（万円）	インタビュー	備考
松坂	男	48	22	絵コンテ	560	○	
岩田	女	48	28	作画監督	？	×	
藤川	女	28	0	第二原画	無回答	×	
小松	女	無回答	無回答	原画	無回答	×	
大塚	男	無回答	無回答	無回答	無回答	×	
渡辺	男	30	2	原画	120	○	
山口	男	38	14	原画	300	×	
城島	女	27	3	版権	300	×	
阿部	女	50以上	20	動画か第二原画	200	×	
石原	女	44	27	総作画監督	1060	×	
松田	女	39	17	作画監督	不明	○	
片岡	女	60	1	経理	104	×	
小林	女	58	23	マネージャー	430	○	
小笠原	男	53	34	絵コンテ	700	○	社長
川崎	女	29	9	総作画監督	290	×	3月まで出向
村田	女	32	11	総作画監督	201	○	3月まで出向
武田	女	33	11	キャラクターデザイン	340	○	2月まで出向
内川	男	48	21	不明	390	×	出向
西岡	女	40	8	原画かキャラクターデザイン	230	×	出向
和田	女	40	20	作画監督	300	×	出向
黒田	女	45	24	キャラクターデザイン	400	×	出向
上原	女	43	20	作画監督	280	×	出向
稲葉	男	52	32	監督	600	×	（出向）
坂本	女	31	1	原画	100	×	
中田	女	若手		原画	無回答	×	
栗原	女	若手		無回答		×	
岡田	女	若手（研修生）		無回答		×	
秋山	女	未確認		経理		×	
平野	男	未確認		無回答		×	出向
松井	男	未確認		無回答		×	出向
宮西	男	中堅		無回答		×	出向

働く場所としており，分析の主要な対象ともなる。なお，表2-2の人名はすべて仮名で，匿名化を施してある。

　これらを断ったうえで，表2-2の内容について説明しよう。表2-2には，X社のメンバーの性別・年齢・経験年数・2016年の主な仕事・2016年の収入・インタビューの有無と備考が示されている。経験年数については，キャリアのなかで中断が含まれる場合は，中断期間は計上しない形で回答していただいた。また，「インタビュー」の箇所に○のついている者が，インタビューを実際に受けていただいた方である。

　くわしい注釈が必要なのは「2016年の主な仕事」である。これは「2016年に最も収入を支えた仕事」という質問項目に答えてもらったものである。これらについて，原画や絵コンテなど，第1章で紹介したアニメーターの仕事が記載されている者が，社内でアニメーターとして働いている人びとであるが，表をみていくと「マネージャー」（小林）「経理」（片岡・秋山）という職務が記載されている。これらはX社に独自に設置された職務であり，マネージャーは社外からの受注の依頼などを受け，社内に斡旋する業務などを行い，経理は個々のアニメーターの給与計算などを行っている。このようにマネージャーや経理は事務に相当する職務を担う役割であるが，マネージャーは一般にはアニメーター自らが担うべき作業をも業務として負担しており，かつX社における労務管理を担う存在といえるので，第4章ではマネージャーの小林を中心的に取り上げて分析を行っていく。また，社長の小笠原は「2016年の主な仕事」に「絵コンテ」と回答しているように，現役のアニメーター・演出家としても活躍している。社長とマネージャーの協働もX社の労務管理上重要なトピックとなるが，これも同様に第4章にて扱う。

　加えて説明が必要なのは，「備考」に示してある「出向」である。X社におけるアニメーターたちは個人事業主であり，X社とは「専属スタッフ」として契約を結んでいる。そのため，X社のスタッフには原則的に作品の受注や働く場所に関して決定権が与えられている。マネージャーに斡旋された仕事であっても受けるかどうかはアニメーターの側が決定し，働く場所をX社ではなく自宅にしている者もいる。ただしどのような形であっても，取引先から直接報酬が支払われるのではなく，一旦X社への支払があり，そこから個々のアニメーターへの支払がなされる。そうしたなかで，他社の作品制作における主要な職務を請け負った場合は，取引先から勤務場所を取引先のスタジオにしてもらいたいと依頼されることがある。これは，場を共有している方が制作上のコミュニケーションが円滑にできることが期待され

るためだが，このような場合に X 社のアニメーターは「出向」という扱いで取引先のスタジオで働く。出向したアニメーターは，X 社には出勤せず，直接取引先のスタジオに出勤し作業を行う。この際も報酬の支払いは X 社に対してなされ，X 社を通して個々のアニメーターは報酬を受け取る。表 2-2 にあるように，フィールドワーク中ずっと出向していたアニメーターもいれば，2 月や 3 月まで出向し，それ以降は X 社内で仕事をしていたアニメーターもいる。

　X 社のアニメーターは X 社から報酬を受け取る際，一定の手数料を引かれた額を受け取る。この手続きはアニメーターすべてに適用され，社長の小笠原も同様である。このようにアニメーターの請負料が会社から引かれることは低賃金労働問題の一因として取り上げられることもあるが，この X 社の事例においてはマネージャーの業務や社長などによる人材育成を介してアニメーターにとって合理性を有するものであることも本書では論じていく。

4　X 社内の職場のデザイン

　次に，本書にとって非常に重要な，X 社における職場のデザインについて確認していこう。図 2-1 には X 社における各員の座席と，スタジオ内に配置された物や設備などを示した。このデータに基づく空間に関する情報に本書を通して何度も言及するため，ここで概要を説明しておこう。

　まず，個人名が記載されている部分が，各々に割り当てられた作業スペースである。マネージャー・経理の小林・片岡・秋山以外のアニメーターたちの机には，トレス台が備えつけられた作画机が与えられている。アニメーターの席の半分ほどに網掛けが施してあるが，これらの席は出向者の作画机となっており，全体ミーティング[1] が実施される場合などの例外的な事例を除いては，空席となっている。網掛けされていないスタッフが X 社を主な仕事場としていた者（途中まで出向だった者も含む）であるが，個々人によって出勤時間帯が異なり，自宅作業する者もしばしばいるため，出向者を除いたとしても，X 社内にすべてのアニメーターがそろっていたことはほぼない。

---

1) 原則として出向している者も参加する形で 2 ヵ月に 1 度実施されるミーティングである。社長やマネージャーからの話を中心に，社内で大きく動いている作品の状況や今後受注する見込みの作品などの情報が共有される。筆者のフィールドワーク中では 1 月 19 日と 3 月 24 日に行われた。

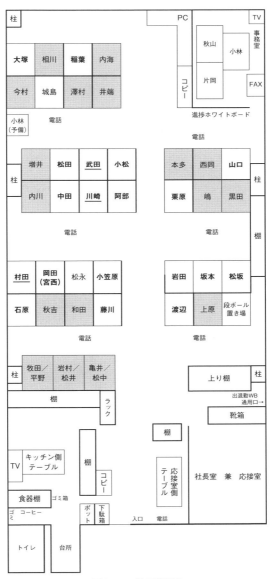

図2-1 X社の座席表

（全員席についている状態・太字がX社内を主な仕事場にしている者。
名前に下線がある者は調査期間中に出向から復帰してきた者）

また，図のなかには多数の太線が見られるが，これはそこに配置されている棚・壁・仕切りなどにより，片側から反対側が目視できないことを示している。たとえば社長の小笠原の座席からは，すぐ後ろの阿部を見ることはできるが，その向こう側にいる小松を直接目視することはできない。このように視界がさえぎられている場が多いことは本書全体の知見にとっても重要な条件となる。

　社内のいくつかのスペースは次章以降で直接の分析対象となるが，ここであらかじめ概要を示しておこう。

■ 4-1　事 務 室

　座席表の右上に位置している，壁で仕切られた部分である。マネージャーと経理の座席が置かれており，給与計算に関わる請求書など，機密性の高い書類などはここで管理されている。とくに経理の2名は，勤務時間の多くをこのスペース内で過ごしていた。なおこのスペースに関しては機密性の高い書類を扱う性質上，筆者はほぼ観察することができていない。

■ 4-2　進捗ホワイトボード

　事務室と作画机エリアを隔てる壁に設置されているホワイトボードである。ここには，社内の各アニメーターがその時点で請け負っている作業の進捗状況が記入される。記入のされ方は，請け負っている仕事が原画のようにカット単位で請け負うものか，作画監督・絵コンテのように話数やパート[2]単位で請け負うものかによって異なる。以下にその例を示す。

　図2-2と図2-3は，1月26日における小松の原画についての進捗ホワイトボードの記載と，小笠原の絵コンテについての記載である。なおこれは説明の便宜上それぞれ1名を取り上げているだけであり，実際には出向者も含めて多くのメンバー[3]に記入欄が設けられている。

　図2-2が原画についての進捗ホワイトボードである。左から「タイトル・名前」「カット数」「L/O／原画」「残りカット数」「制作・備考」という欄が設けられてい

---

2) 1話を構成するまとまりの名称。たとえば1話の前半をAパート，後半をBパートと呼ぶことがある。劇場作品などの長時間の作品になると，パート数がより多くなる。

3) ただし，40名全員の進捗が記入されているわけではなかった。また名前の記入欄は固定ではなくそのつど書き入れる方式になっているため，時期によって一時的に名前がない者などもいた。

タイトル 名前	カット数	L/O／原画	残り カット数	制作 備考
作品 A#9 小松	15	2／0	15	A 社 ○○
作品 B#4 小松	7+1	7／0	8	B 社 ○×
作品 C#9 小松	13	13／5	8	C 社 ×○

図 2-2　進捗ホワイトボード（原画）の例

名前	発注元 担当者	作品名 話数	備考
小笠原	A 社 ××	作品 A 絵コンテ #12	

図 2-3　進捗ホワイトボード（絵コンテ・作画監督）の例

る。「タイトル・名前」には請け負っている作品の名前と，それを担当している X
社のアニメーターの名前が記入される。作品名のあとについている数字は，担当し
ている話数を指す。つまり「作品 A#9」であれば，「作品 A の 9 話」を指す。「カッ
ト数」には請け負ったカットの数が記入される。作品 B の欄は「7+1」とあるが，こ
れは最初に 7 カット請け負い，その後追加で 1 カット請け負うことになったことを
示している。「L/O／原画」は「L/O」がレイアウト（第一原画）を指しており，「原
画」が第二原画を指している。記入欄にはそれぞれの作業進行状況が示され，たと
えば作品 C の欄の「13／5」という表記は，レイアウトが 13 カット完了，第二原
画が 5 カット終了ということを意味する。「残りカット数」は作業が完了していな
いカット数を指す。ここでいう「作業が完了している」とは，レイアウトと第二原
画の両方が完了しているということである。そのため，作品 A はレイアウトだけ 2
カット完了しているものの，第二原画がまだ 1 カットも仕上がっていないため，残
りカット数は請け負った全体数と同じ「15」となっている。「制作・備考」には発注
元の企業名と担当の制作進行が通常記入され，特記事項がある場合もその欄に記入
される。
　原画を担当しているアニメーターたちは，レイアウトや第二原画の作業が進行す
るごとに，もしくは自らの退勤時にこのホワイトボードを更新し，それによって

個々の作業進行状況が事務担当者にもわかるようになっていた。

　また，図2-3は絵コンテもしくは作画監督の進捗ホワイトボードである。「名前」にはX社の担当者名が，「発注元・担当者」には発注元企業名と担当の制作進行やプロデューサーの名前が，「作品名・話数」には文字通り作品名と話数に加えて，請け負っている職務（絵コンテ・作画監督など）が示される。「備考」欄はあまり使用されないが，記入されている仕事が完了した場合には「済」という字が記入される。

　本書においてこのホワイトボードの使用を詳細に検討する分析はしないが，このようにわざわざたずねなくても個々の作業の進捗が確認できるようになっていることは，X社におけるスタッフ同士のコミュニケーションの条件として重要なので念頭においておく必要がある。

■4-3　P　　C

　事務室と壁を隔てて，共用のPCが置かれている。これはメールチェックなどに利用されるほか，映像を視聴するためにも用いられる。なお何名かは自身の作画机に自前のPCを置き，利用していた。

■4-4　コピー機

　事務室側と，右下の応接室兼社長室側に一台ずつ置かれている。アニメーターたちはしばしば原画や資料のコピーを取るためにこのコピー機を利用していた。また，応接室側のコピー機はFAXを兼ねており，そのために利用する者もいた。

■4-5　作画机

　座席表上部から中央にかけて並んでいるのが作画机である。このスペースでなされる活動が本書の分析の中心となる。その名の通り作画作業を行うための机であり，トレス台と作画用紙を置いておくための棚が備えつけられているのに加え，棚の上にさらにカラーボックスなどを置いて資料等を収納しているアニメーターもいる。多くの机同士の間には仕切りが設けられており，隣の作業はのぞきこむような形を取らない限りは見えないようになっている。作画机については第3章全体を割いて論じることになるので，詳細はそちらに譲る。

■4-6　上り棚

　通用口の前に置かれた棚であり，「上り」，つまり仕上がった原画などを置く，納

品のためのスペースである。棚にはそれぞれ取引先の企業がラベルで示されており，作業を終えたアニメーターは各々の取引先の棚にカット袋を置く。なお納品したカット袋は，他社の制作進行が直接回収しにくる。第5章では，このスペースが単なる引き渡しの場であるだけではなく，人材育成上の意義ももっていることを示す。

■4-7　出退勤ホワイトボード

　上り棚の横（入口側）にはホワイトボード（図中ではWBと略記してある）が設置してあり，そこにはその日の社内メンバーの在席状況が記入されている。これを本文中では「出退勤ホワイトボード」と呼ぶ。図2-4はその例である。なおこの図はホワイトボードの役割の理解のため便宜的に簡略化したものであり，実際にはメンバー全員の記入欄が設けられている。

　この記入例は，2月8日0時08分に筆者がX社に入室した際の出退勤ホワイトボードの一部である。左側にメンバーの氏名が，右側に出勤状況が記入されている。記入法が厳密に定められているわけではなく，メンバーによって記入の仕方はまち

小笠原	
阿部	21：10
上原	出向 ○×社

図2-4　出退勤ホワイトボードの記入例

表2-3　出退勤ホワイトボードの記入内容の意味

記入内容	記入内容の意味
空欄	出勤。X社内に在席。
「時間」	退勤している。時間は退勤時の時刻を指す。
「き」	「帰宅」の意。退勤している。「き 20：00」のように時間とともに示されることもある。
「出向」	当該メンバーが出向して他社で勤務している状態。出向先の会社名も記入されていることが多い。
「外」	一時的に外出中である状態。
「作打ち」	作画作業に関する打ち合わせで他社にいる状態。

まちである（記入しない者も少数いる）が，出勤状況の示し方はおおむね表 2-3 の通りとなっている。

　したがって，図 2-4 では小笠原は出勤していること，阿部は前日（2 月 7 日）21 時 10 分に退勤していること，上原は○×社に出向中であることが示されている。これは各メンバーによって出退勤時に更新され，電話などを引き継ぐ際には当該のメンバーが在席しているのかを確認するために参照される。

　また，進捗ホワイトボードの下には棚が設置されており，そこには他社が作業素材として持ち込んだ原画用紙などがストックされている。

■ 4-8　社長室・応接室

　通用口から入るとすぐに壁で仕切られた応接室が用意されている。このスペースは主に社外からの来訪者との打ち合わせや，社内メンバー同士のやりとりでも面談などの比較的プライバシーを維持する必要のある場合に利用される。名目上社長室を兼ねているが，小笠原自身は自らの作画机を作業スペースにしており，応接室で作業することはほぼない。

■ 4-9　応接室側テーブル

　応接室の横には横長のテーブルが置かれており，ここには受注依頼が来ている作品の絵コンテやキャラクターデザイン表などの資料が置かれている。また，社内外の打ち合わせに用いられることもある。詳細は第 6 章にて扱う。

■ 4-10　キッチン側テーブル

　座席表左下にはキッチンとトイレが配置されているが，その近くにテーブルが置かれている。ここは棚に囲われており，食事や休憩のスペースになっている。なお棚には X 社が関わった作品のビデオパッケージや，作画の資料，X 社スタッフが出版したイラスト集などが収納されている。

　このスペースの詳細についても第 6 章で扱うが，基本的には食事や休憩のスペースであるため，業務に関係のない会話が起きることが非常に多い。また，この周辺には冷蔵庫やポット，コーヒーサーバーなどがあり，アニメーターが飲み物を取りにくる際に必ず通るほか，トイレも配置されているため，スタッフたちが日々の業務のなかで最も頻繁に通過する場所の一つである。

■ 4-11 　小　　　括

　以上がX社内の空間と設備に関する概要である。これらはすでに次章以降における分析に一部踏み込んだ内容にもなっているが，重要なのは前章のサッチマンの議論で確認したように，職場における空間的秩序は，単にこうした物が配置されていることだけではなく，こうした物や空間を資源としながらその場にいる人びとがそのつど営む活動を通してはじめて成立するものだということである。次章以降ではこうした物理的環境を前提にしながらなされるX社のメンバーの活動について分析を展開することで，X社における空間的秩序を明らかにしていく。

5　X社が内包する緊張：労働意識と空間利用から

　本節では，次章以降のエスノメソドロジー的な分析に移る前に，X社のメンバーがどのような労働条件のもとにあり，どのような労働意識を有しているのかについて，フィールドワーク中に実施したアンケート調査とインタビュー調査に即して簡潔に示しておく。

　まず，客観的な労働条件について確認しておこう。表2-4には，「1日あたりの作業時間」「1ヵ月あたりの休日」「年収」の3項目について，X社で実施したアンケート調査から得られた結果と，比較項として日本アニメーター・演出協会（2015）（JAniCAと表記）の結果をまとめている。これをみると，1日あたりの作業時間と年収に関しては，X社が比較的良好な労働条件のもとにあることがうかがえる。1日あたりの作業時間はJAniCA調査よりも約1時間短く，年収は30万円ほど高くなっている。しかし，1ヵ月あたりの休日数はX社の方が0.6日少なくなっており，平均的なアニメーターよりも若干労働日が多くなっていると思われる。

　次に，仕事や生活の満足度をみてみる。表2-5は，表側のそれぞれの項目に関する満足度について，5点尺度で答えてもらった結果をまとめたものである。表側のそれぞれの項目は，日本アニメーター・演出協会（2015）の調査で取り上げられていたものであり，比較しやすくするために同じ質問項目を用いている。

　表2-5をみると，全体としてX社での回答の方が，満足度が高い傾向にあることが見てとれる。「やや満足」と「とても満足」を合わせて「満足」している群とすると，たとえば「仕事全体」ではX社は計60.8%が「満足」としているのに対して，JAniCA調査では32.8%に留まっている。「生活全体」も，X社が計52.4%，JAniCA調査は28.5%と，両者には23.9%の開きがある。満足度に関して差が顕著なのは「仕

表 2-4 X 社の労働条件

	X 社	JAniCA
1 日平均作業時間	10.1	11.0
1 ヵ月平均休日	4.0	4.6
年収	363.4	332.8

表 2-5 満足度の比較

		とても不満	やや不満	どちらともいえない	やや満足	とても満足
仕事全体	X 社	0.0	4.3	34.8	56.5	4.3
	JAniCA	10.4	29.3	27.6	29.2	3.6
生活全体	X 社	4.8	14.3	28.6	47.6	4.8
	JAniCA	13.4	29.7	28.5	24.9	3.6
収入水準	X 社	9.5	9.5	47.6	19.0	14.3
	JAniCA	29.7	29.9	22.4	14.5	3.5
収入の安定性	X 社	13.6	22.7	45.5	4.5	13.6
	JAniCA	26.1	23.8	24.6	19.0	6.4
労働時間	X 社	0.0	26.1	52.2	17.4	4.3
	JAniCA	21.2	30.9	33.1	12.3	2.5
休日・休暇	X 社	0.0	39.1	34.8	17.4	8.7
	JAniCA	21.2	30.9	33.1	12.3	2.5
仕事量	X 社	0.0	17.4	47.8	34.8	0.0
	JAniCA	10.8	23.2	45.9	17.6	2.5
仕事内容	X 社	0.0	13.0	8.7	56.5	21.7
	JAniCA	9.1	16.8	37.6	29.6	6.9
人間関係	X 社	0.0	4.3	52.2	39.1	4.3
	JAniCA	4.9	11.3	39.1	37.1	7.6
雇用就業の安定性	X 社	13.0	21.7	43.5	13.0	8.7
	JAniCA	17.1	17.8	38.9	20.2	6.0
技術向上の機会	X 社	0.0	17.4	39.1	34.8	8.7
	JAniCA	9.2	23.8	44.8	19.1	2.9
今後の仕事や働き方の見通し	X 社	17.4	17.4	43.5	21.7	0.0
	JAniCA	22.8	28.0	39.0	8.2	1.9

事内容」で，X社で計78.2%，JAniCA調査では36.5%である。他の項目も，JAniCA調査と同じかそれ以上の満足度となっている項目が多くを占めている。これらをみるかぎり，X社のアニメーターたちは一般的なアニメーターと比較して，相対的に満足を感じながら働くことができているといえるだろう。

　X社で働くことによってアニメーターたちがメリットを感じていることは，アンケートの自由記述からもうかがえた。表2-6はそれをまとめたものである。「メリット」の欄はX社で働くメリットを書いてもらったもの，「その他」はアニメーション業界や自らの仕事等について自由に書いてもらったものである。ここでは「メリット」の欄に着目しよう。

　メリットとして目立つのは，技能形成の機会に関する記述である。「能力的に他の会社だったら続いてなかった（面倒見がよかった）」（山口），「何も知らない私に一から教えてくれました」（石原）などがそれにあたる。もう一つは，「個人で仕事を探す必要がない」（岩田），「苦手な計算や仕事をさがすなどをやってもらえる」（村田）など，仕事へのアクセスがしやすいという点である。これらの技能形成への取り組みと仕事の斡旋は，X社の特徴の一部をなしており，前者は第5章，後者は第4章で取り扱う。

　続けて，インタビューから得られた語りについても簡潔に示しておこう。インタビューはアンケート回答者のうち有志に応じてもらい，結果として7名に行うことができた。インタビューではアンケートの結果で筆者が気になった点や，調査当時に至るまでのキャリアなどについて質問を行った。

　インタビューのなかでも，アンケートの自由記述でみられたような技能形成や仕事の斡旋という問題はしばしば語られたが，以下ではそれらの論点に限られない語りを取り上げ，X社のアニメーターの労働意識を広く示したいと思う。とくに，上記の議論はX社という職場を過度に理想化してしまっている可能性があるので，インタビューからみえてきた，X社という職場にも一種の緊張があることを示しておきたい。

　すでに述べたように，X社のアニメーターは自身の報酬から一定額をX社に納めるという制度をとっている。こうした制度の対価として，マネージャーによる仕事の斡旋などがあるともいえる。ここで労働問題に関心のある読者であれば，こうした制度に対してアニメーターの側に不満はないのかという点が気になるところだろう。この問題に関しては，若手時代からX社で働く社長の小笠原自身も言及している。

表2-6　アンケートの自由記述

	メリット	その他
松坂	他のスタジオに在籍したことが無いので比較は出来ませんが，居心地という面では良いのではと思います。意外と重要な点でしょう。	新人育成も大事だけれど，業界全体の待遇が改善されなければ未来は厳しいのではと憂慮しています。
岩田	個人で仕事を探す必要がない。「X社」というネームバリュー。	
藤川	作監さんなど，技術の高い方と接する機会が多いので勉強になるところ。休みの申請がしやすいところ。	大変ですが，やりがいのある仕事だと思います。
渡辺	先輩方にいろいろなことが質問でき，丁寧に指導してくださること。技術的に優れている方が数多く在籍しているため，緊張感を持って日々仕事に努めること。	基本的に見て学ぶ，盗んで学ぶというスタンスなため，中々伸びる事の出来ない環境に置かれているアニメーターが数多く存在することが残念。
山口	能力的に他の会社だったら続いてなかった（面倒見がよかった）。丁寧な仕事を心掛ける雰囲気で雑な仕事をする方向に流されずにすむ。	早くデジタル化をしたい。
城島	技術を教えてくれる環境。	
阿部	個人的に仕事をとるより会社に入っている方が仕事をとりやすい。	
石原	専門学校に行かず高卒で入社したのですが，何も知らない私に一から教えてくれました。今の私がいるのはX社の先輩たちのおかげだと思っています。アットホームで居心地が良い。いつでも帰れる場所のような気がします。	アニメーター＝お金が稼げないというイメージが強くありますが，仕事やキャリアによっては他職業の同じ年以上に稼げることもあります。アニメーターだから稼げないということを盾に力不足を認めず満足している人も多いです。ちゃんと小遣い稼ぎではなく仕事だという自覚を持たせるべきだと思います。
片岡	自由なところが働きやすいです。	私は主婦のあい間に経理として働かせて頂いているけれど，この業界の人たち，新人さんは仕事もきつく，収入面でかなり賃金が安く，親からの仕送りも必要です。あまりに単価が安い（とくに動画）ので，日本の文化のアニメーションなので，国・社会からもう少し，実際，アニメーターの賃金のことも考えてあげてほしいです。でないと，この先，若者が育たない。
小笠原	集団で作る以上，集団でいる事のメリットしかない。	育てる環境を作ってこなかった業界のツケが出ている。これから（今も含め）変えていくし，変わっていくだろう。
川崎	技術面の向上が見込めます，上手い先輩方に丁寧に教えていただけることはありがたいことだと常日頃思います。	中々正しく理解していただけてない産業だなという印象が拭えてないので，このようなアンケートを設けて頂けることがこの業界の明るい橋渡しになるのでは？と期待しております。よろしくお願いいたします。
村田	自分が子供の頃に見ていた作品で好きな話数の好きな絵を描いていた方々がX社には多く，そんな方々の中で働けるのが仕事上でのモチベーションになっています。自分個人でやっていたらもらえないような良い仕事をもらえる。苦手な計算や仕事をさがすなどをやってもらえる。	アニメの本数が多くなりすぎていてまともに描ける人が分散また特定の場所にかたまり全体的にアニメのクオリティが保てない。作品がやっつけ。日本人の動画をやる期間がすぎて大事な工程を理解できていない人が増えている。人の身体の構造の大ざっぱすら理解していない人が多い。いろいろなセクションの意思疎通がこんなにもできてないんだなと今回総作監をやって思いました。
内川	箔はつく。仕事には困らない。	納期とクオリティのバランス調整が慣例でなっているけれど制作スタッフがその慣例に従うのみを考えている節がある（作画も含む）。独創的なことが意外に受け入れられない。
西岡	X社に長年いらした方だったらという安心感はある。フリーの方に気持ちを聞く気にならなかった。言いたいことは言っていたけど。	国保もっと安くしてほしい。
和田	フリーランスとは違い仕事が途切れないこと。アットホームな雰囲気で働きやすい。	第二原画や動画を海外に丸投げすることが多くなり，国内の人材があまり育たなくなっている。それによって演出や作監の仕事量が増えすぎている（原画のレベルが低すぎてすべて描き直すのは日常茶飯事）
上原	分からないことは先輩に聞いていける近さ。	スケジュール管理のしっかりした会社が増えれば仕事が取りやすくなると思います。（一原画マンとして）徐々に単価は上がってきていると思いますが，時間がなくなり結局一原（L/O）のみで，二原まきにされてしまうことがあり，自分のL/Oを見直すことが出来ず，成長出来ず，終わってしまう。おいしいところは海外へ…。そして，日本の原画マンは育たないという悪循環になっていると思ってます。
稲葉	吉本興業的な会社とタレント（アニメーター）の関係は，仕事内容と本人の満足といった部分でよい結果を生んでいると思われます。	安いギャランティについてよく話題になる世界ですが，元請けと下請け（フリーランス）両方に問題点があると思っています。特に下請け（フリーランス）に営業的思考がかなり薄いと感じられ（自分も含む），それゆえギャラ交渉などほとんど行われないのは非常に悪い点だと思っています。
坂本	収入が月1できちんとある。	収入が低すぎる。

　以下の語りは，小笠原が中堅アニメーターとして軌道に乗り始め，他社のアニメーターともよく仕事をするようになったときの経験についてである。

【抜粋1】マージンについて

小笠原：一回だけ，悩みはしなかったんだけど，とにかく外のことを知らなかったので。ある時作画監督になったときの作画監督料と，まああある程度キャリア積むと外の声って聞こえてきますよね。横のつながりが出てくると思うんです。すると，他で聞く作監料と違うんですよね。したら，あ，こんなにおれは会社に取られてるんだっていうのを初めて，そこで意識したときは覚えてはいるんですよ。ああ，おれは会社にこんなに取られているんだって。（中略）でもおれはここまで原（（先代社長の仮名））さんによって育てられてるっていう意識があれば，このくらい会社に納めてても仕方ないだろうっていうのは思ったんですよね。だからそこが一つの選択肢になったのは，なりました。実際にほかの方も，やめられた方も，そこでやめた人もけっこういるんですよね。ある程度キャリア積んで，自分でキャラクターデザインやれるようになったときに，外から聞くお金と，あれだいぶ違う，取られてる会社。もっとこんな引かれているのはおかしい。っていうんで辞めた人はいっぱいいます。X社の中でもね。　　　　　　　　　　[（（　　））は筆者による補足：以下同様]

　小笠原は，作画監督の仕事をよく行うようになり，他社のアニメーターとの「横のつながり」が出てきた段階で，自らが得ている報酬が他社の作画監督担当者よりも少ないということを意識するようになったという。そして実際に，そうした制度に不満をもち，X社を辞めていった者も多数いると小笠原は述べる。小笠原自身は，先代社長に育ててもらったという意識から辞めることはなかったというが，実際に報酬から一定額を引くという仕組みはX社のメンバーにとって不満なものでありうることがこの語りからはわかる。小笠原自身が述べているように，そのような金銭的な支払いと，その対価として得られる技能形成や仕事の斡旋などが，トレードオフの関係になっているのである。

　もう一つ，極端な事例であるが，X社における緊張がみてとれる語りを紹介しよう。中堅アニメーターとして作画監督やキャラクターデザインなどの仕事を中心的に請け負っている武田は，自らの若手時代を想起して，以下のように語っている。

【抜粋2】周囲からのまなざし

松永：そうですね。転機はありましたかってよく聞くんですけど。

武田：転機は，たぶん最初のキャラデであったんですけど，たしなむ程度にって返事はしたけど，得意ではなかったんですよ。なので，今やアダルト販売されているDVDなんですけど，それを会社で描いてたんですよ。なので，人が後ろを通るんですよ。そのストレスたるやみたいな感じで，その時にひどく体を壊して，大学病院とかに通ってました。

松永：ストレスから。

武田：そう，そうです。こんな仕事ばっかり続けるんだったら辞めてやるって。

（中略）

松永：ストレスはほんとに，これを見られてるみたいなのからってことですよね。

武田：もうきつかったです。囲ってカーテンひきたいくらいの感じだったので，その時は夜とか人のいない時間に入っていました。

松永：はいはい。そういうのも余計，体に悪いみたいなのがあるんですかね。

武田：それまで，わりと昼型というか，そんなに遅く入るほうではなかったので，夕方入って深夜作業しているというのは，結構きつかったです。

　抜粋2は，筆者が武田のキャリア上の転機について聞き出そうするところから始まる。武田は初めて携わったキャラクターデザインの仕事が，アダルト作品のものであったという。そして，その仕事中は他のメンバーが自席の後ろを通る際に，非常に強いストレスを感じていたことを語る。そのストレスは，病院に通わざるをえないほど強く，辞めることも考えていたと語っている。また，その仕事をしている期間は作業時間を深夜帯にせざるをえず，それも普段のリズムと合わないため，負担を感じていたという。

　少なくとも筆者がフィールドワークをしている間，X社内でアダルト作品の仕事は受注されていなかった。そのため，筆者の調査中に，武田と同じような負担を感じていたアニメーターはいないだろう。しかし武田の事例から推察することができるのは，X社のアニメーターたちが，つねに自らの作業が他人に見られている可能性を気にしているということである。武田がアダルト作品に従事していたときの詳細な状況まで知ることはできないが，少なくとも武田の後ろを通ったアニメーターたち全員が，武田の作業をまじまじと見つめていたというわけではないだろう。本

書のなかでも言及するが，X社のアニメーターはたしかに他人の仕事を観察しようとすることはあるが，それはあくまでインフォーマルに，他人から見られないように行われる。こうしたことを考えると，おそらくは他のアニメーターもただ武田の後ろを通っただけであったと捉えるのが自然であるが，それでも武田は見られている可能性を考慮して強いストレスを感じていたのだ。

　このような武田の語りから考える必要があるのは，単に通路を通るだけという，非常にささいにみえる活動も，一定の緊張をはらんだ活動であるということだ。

　上記の武田の語りは一つの極端な事例といえるが，こうした語りをふまえると，X社の成員の日常的な活動についてもある種の緊張感を有した活動としてみえてくる部分がある。次章からの具体的な分析に入る前に，実際のX社におけるスタッフの行動からもそれを確認しておきたい。

　X社は作画スタジオであり，ほかのアニメーション制作会社の仕事を請け負いながら企業活動を行っている。そのため，他社と連絡を密に取る必要がある。他社からの電話連絡のなかには，個々のアニメーター宛のものが頻繁にある。その際にはさしあたってX社宛てに電話がかかってきて[4]，担当者が応対したのち，用件のある相手に引き継ぐことになる。電話応対の担当者は，社内の若手アニメーターを中心にローテーション制で決まっている。

　この電話連絡に際しては，とくにアニメーターを対象としたものに関しては切迫したスケジュールのなかでの進捗確認など，その場での確認を要するものが多くなりがちであるため，当然のことながら電話がかかってきたその場で取り次ぎがなされることになる。電話は作画机が置かれたエリアに6台，入口に1台，事務室に1台置かれているが，多くの場合はその日の電話応対担当者が電話を取り，用件のある相手を聞いたあと，その者の作画机のところまで移動し，電話がかかってきていることを伝える。

　こうした条件のもと，実際に電話の引き継ぎがなされる一つの事例を挙げよう。取り上げるのは，4月1日20時12分におけるフィールドノートである（フィールドノート2-1）。

　4月1日20時12分，取引先の他社から電話がかかってきて，その日の応対担当者であった藤川が対応した。電話相手が大塚に用件があることを確認すると，藤川

---

4)　個人の携帯電話宛てに電話がかかってくることもあるが，社用電話にかかってくる数に比べれば事例は少数に留まる。

●フィールドノート 2-1

FN20170401：2012[5]　藤川さんから大塚さんへの電話の取り次ぎ

藤川さんが電話に出て大塚さんに取り次ぎ。藤川さんはトイレへ。大塚さんは入口側の電話に出て、「まだやってますけど上がりは3カットあります。((出せる時期を尋ねられて))来週の頭には出したいなあという感じですけど」と話している。

は席を立ち，スタジオ内の最も奥に席を有する大塚のもとへ移動して，電話がかかってきていることを伝えた。大塚は入口側にある電話まで移動して，そこで電話を取った。藤川は電話を取り次いだあと，トイレに向かった。これらの動線を示したのが図2-5である。

　この大塚の動線は，一見不可解である。というのも，大塚の席から最も近い電話は電話⑥もしくは⑦であるにもかかわらず，なぜか最も遠い電話①を選択している。しかし，こうしたことも，大塚が他のアニメーターの作業に配慮したものだと考えれば，理解しやすい。電話⑥と⑦の周りには，いずれも作業中のアニメーターが在席している。こうした動線からも，アニメーター同士が集まって働いていることによる独特の緊張がうかがえるのである。

　ここで問題なのは，なぜそこまでして他者が働いている空間に配慮する必要があるのかという点である。観察をしている限り，仕事上の電話が長引くことはなく，実際に電話⑦を取ったとしても近くに座る山口の作業に大きな支障があったとは考えにくい。しかし，大塚のように作画机の周辺で会話などを避けることは，筆者がフィールドワークを実施しているあいだ体系的に観察されたことであった。これは筆者自身が空間的秩序という観点が重要だと考えた直接のきっかけでもある。次章以降では，X社の成員のあらゆる活動に空間的秩序への配慮がどのような形でみえるか，そしてそうした配慮をすることを通して成員たちは何をしているのかといった問題に取り組む。

5）以下フィールドノートの抜粋・引用にはこの表記をしておくが，これは記録があった日付と時間を示している。この注をつけたフィールドノートは2017年4月1日20時12分に起きた出来事を記録したものである。

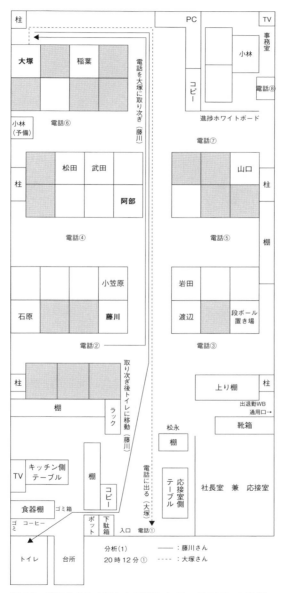

図 2-5　藤川さんと大塚さんの移動（4 月 1 日 20 時 12 分①）

6 小　　括

　本章では，第3章以降の議論を理解するために必要な情報を提示するため，本書が行った調査の概要と，そこから得られた人員的構成や職場のデザインについて議論した。

　第2節では筆者が行ったフィールドワークの日程や調査内容について確認し，フィールドノートへの記述を中心としながら，アンケートやビデオ撮影等も含んだ総合的な調査を行ったことについて述べた。第3節ではX社の人員的構成を確認し，アニメーターだけではなく管理を担うマネージャーや経理事務担当者がいることを述べ，また「出向」という制度により半数程度のアニメーターが他社で働いていることを確認した。第4節では職場に配置されたさまざまな物や道具について解説した。第5節では，X社のアニメーターたちの労働意識について把握し，職場に内包されている緊張と，その内実を問う上で空間的秩序という論点が再度重要になることについてまとめた。

　次章以降では，本章で描いたフリーランサーが集まって働いていることによる独特の緊張を考慮しつつ，アニメーターの仕事・X社の労務管理・人材育成・仕事やそれに限られない会話がどのように遂行されているのかを明らかにする。そのなかで，個々の活動においてどのようにして緊張が回避されているのかについても議論する。

03 生産活動
作画机の上での協働と個人的空間

1 問題設定

　本章では，X 社における生産活動，つまりアニメーターの作画の仕事について分析を行っていく。アニメーターの仕事は他の大勢の制作スタッフとの分業のなかで成り立っており，作画工程だけ取ってみても 30 分のテレビアニメ 1 話を構成するためには 2,000 〜 3,000 枚程度の絵が必要になり，これを限られたスケジュールのなかで大勢のアニメーターが分担して作業をしていくことになる。この分担が単独の制作会社のなかで収まることは珍しく，国内外含めて重層的に下請けに出されていくことによって，なんとか放映に必要な絵が集まることになる。

　ここで議論したいのは，このような協働が，アニメーターが働く現場のレベルではどのようになされているのかということである。以下で主題として議論していくが，個々のアニメーターの水準では，数千枚もの絵を組み合わせるという広大な協働のなかに埋め込まれているにもかかわらず，大半の仕事が作画机というごく狭い空間のなかで完結する。本章では，アニメーターの仕事における協働が，いかにして作画机という空間のなかで完結するのかについて分析を行う。

　本章の構成は以下である。第 2 節ではアニメーターが職務を遂行するなかで，他社のスタッフとどのような関わりをもっているのかについて明らかにする。そこでは他社との関わりは必要であるものの，あらかじめ時間的に定まった局面においてのみ関わりがなされるようになっていることを指摘する。第 3 節では原画・第二原画・動画それぞれの工程を行っている者の作画机に配置されている物や道具に言及し，作画机が協働の場であると同時に，あくまで机に何を置くかは自由であるという点で個人的な空間にもなっていることを指摘する。第 4 節ではアニメーターが実

際に作画を行っている映像を分析し，描く対象によって適宜参照する資料を変えたり，手元の道具などを利用したりすることを通して，指示に従うことが机の上で遂行されていることを指摘する。そこでは第二原画のアニメーターが，次の動画工程のアニメーターのミスを防ぐために，実際に与えられた指示以上の作業を行っていることを指摘する。

2　職務遂行における他社との関わり

　本節では作画場面の分析を行うに先立ち，アニメーターが職務を遂行するにあたって，他社のスタッフと関わる必要がある事例についてまとめておく。アニメーターは就業時間の大部分を作画机での作画作業に費やしているが，他社の多くのスタッフとの協働のなかで作業している以上は，直接的に他社スタッフと関わらなければならないケースが生じる。以下では，フィールドワークのなかでみられた，他社スタッフと X 社アニメーターの関わりについて取り上げる[1]。

■ 2-1　仕事の依頼

　まずアニメーターの他社スタッフとの関わりとして挙げられるのが，仕事の依頼に関する打ち合わせである。多くの場合，X 社ではマネージャーが他社からの仕事依頼を受け付ける役割をしているが，アニメーターが自ら仕事の依頼を受けることもあった。以下はそうした実践がみられた際のフィールドノートの抜粋である（フィールドノート 3-1）。

　ここでは他社の制作進行が，フィールドワーク中に主に原画作業をしていた城島と応接室側テーブルで打ち合わせし，作業の依頼が行われるが，城島が作品に対する自らのブランクとすでに別の作品を請け負ってしまっていることを理由に，2 月からの作業開始は困難であること，3 月からなら可能であることを伝えている。こ

---

1) なお，フィールドワーク中で十分に観察できなかったアニメーターと他社スタッフとの関わりとして，作画監督などによる原画チェックがある。作画監督などが他社にいる場合（作画スタジオである X 社ではこのケースが多い）には，原画チェックにおいてどのような修正要求がなされているかなどは，他社との協働を考えるうえでは重要である。この点については本書においては今後の課題とせざるをえないが，原則的には原画チェックとそれへの対応もまた作画机の上でなされる協働であり，その点では本章の第3 節以降で論じる内容を損なうものではないと思われる。

●フィールドノート 3-1

FN20170124：1630　制作進行からの仕事依頼

他社の制作進行がきて城島さんのところへ。城島さんと制作進行が応接室側テーブルで打ち合わせを始める。制作からの仕事の依頼。
作画打ち合わせが 2 月 14 日にあり，原画を 2 週間でカット数 15 ～ 20 お願いしたいらしい。まず城島さんは「○○（作品名）は 2 年前に原画でやったのが最後なので……」と自らの作品に対するブランクについて言及する。また，「××（作品名）を取ってしまった」といい，すでに他の作品で予定が埋まってしまっていることを述べ，2 月は無理だが「3 月からなら大丈夫です」という。制作進行が依頼した仕事を全てこなすことはできないが，「お手伝い程度ならできます」と述べた。

れらの話をしたあと，制作進行は X 社スタジオ内から退出した。
　次項では上記のフィールドノートにもある「作画打ち合わせ」について議論する。

■ 2-2　作画打ち合わせ

　多くのアニメーターは作業を始める前に，当該作品の演出担当者などと事前に打ち合わせを行い，自らが作画する絵コンテや設定の内容について理解を深めておく。この作業は「作打ち（作画打ち合わせ）」と呼ばれ，大部分の時間を机の上で過ごすアニメーターにおいては例外的に比較的長い時間を他者と関わる工程でもある。
　今回実施したフィールドワークに基づく限り，大部分の作画打ち合わせは X 社内ではなく，発注元の元請制作会社などで行われた。他社で作画打ち合わせがある場合，X 社のアニメーターは出退勤ホワイトボードに図 3-1 のような形で示していた。このように示したうえで，アニメーターたちは当該日に取引先のスタジオにおもむき，そこで打ち合わせを行う。フィールドワーク実施日の関係で下記に示された日すべてに在室はできなかったが，3 月 4 日の小松，3 月 16 日の川崎に関しては，

3 月 4 日の小松さん　作打ち
3 月 12 日の栗原さん　13（月）作打ち→ in
3 月 16 日の川崎さん　16 日作打ち
4 月 7 日の武田さん　5 日（水）外で打ち合わせ

図 3-1　出退勤ホワイトボードの記入内容

●フィールドノート 3-2

FN20170316：1702–1743　X 社内での作画打ち合わせ

これから作画に取りかかる TVCM のアニメーション（作画監督は石原さんが務める）について，小笠原さん・小林さん・城島さん・松田さん・武田さん・中田さん・石原さんが応接室に入り，打ち合わせをはじめた。石原さんがそれぞれのカットについて，映像中に登場するオフィスチェアの作りや，場面ごとの雰囲気など細かい設定について話している。

実際に X 社スタジオには出勤していないことが確認できた。

　なお作画打ち合わせは電話で行われる場合もある。1 月 19 日には応接室側テーブルで城島が電話をしながら絵コンテへの書き込みを行っていた（FN20170119：1642）。さらに，3 月 16 日には，フィールドワーク中唯一，社内スタッフが集まって作画打ち合わせが行われることがあった。

　フィールドノート 3-2 にあるように，作画打ち合わせでは設定画などだけでは必ずしも把握できない情報が原画作業担当者に対して伝えられる。こうした情報共有があるがゆえに，次節以降みていくような作画机上での協働が可能になるのである[2]。

■ 2-3　制作進行による進捗の確認

　本節第 1 項，第 2 項で論じたのは作画の作業に入る前の段階における，他社スタッフと X 社アニメーターの関わりであった。本項では作画工程の作業が開始された後における関わりについて議論する。

　制作進行が作品の工程管理を担っている労働者であることについてはすでに述べた。それゆえ制作進行は特定の工程の作業が滞っているようであれば，その担当者に進捗状況を確認し，場合によっては一部の作業を他の者に移転させる必要がある。

　以下のフィールドノートの抜粋は，2 月 24 日の深夜に記述された，他社の制作進行と X 社の若手アニメーターである渡辺とのやりとりである。制作進行は 1 時 58 分に X 社に入室してきて，作業中の渡辺に話しかけ，以下のやりとりがあった（フィールドノート 3-3）。

2）作画打ち合わせは原則として一度は実施されるが，スケジュール上の都合などによって打ち合わせを行わずに原画作業などに入っていかなければならないケースも存在する。

●フィールドノート 3-3

FN20170224：0158　他社制作進行による進捗確認

他社の制作が入ってきて，渡辺さんにカットがいつ上がるのかを尋ねている。
渡辺：すぐには上がらないです。
制作：後の便にすることもできるので，何時に上がるか言ってもらえると。
渡辺：朝方まではかかります，5 時とか。
制作：じゃあ 6 時とかには？
渡辺：それは確実に大丈夫です。
制作：わかりました。
制作退出する。

　制作進行が作業がいつ完了するかを尋ねると，渡辺は「すぐには上がらない」と述べて，その場で成果物を渡すことはできないことを伝えている。制作進行は成果物を次の工程に「後の便[3]」で送ることもできるという選択肢を提示し，作業が終了する時刻を述べることを求めている。このやりとりによって，両者は 6 時には作業が終了することで合意している。

　また，上記は制作進行が直接 X 社を訪れた事例だが，実際の進捗確認は電話を通して行われることが多い（FN20170119：1802；FN20170211：1841 など）。ここではひとまず，このように制作進行が直接 X 社を訪れる形で，または電話を通して，他社と X 社のアニメーターが関わり合う場合があることがわかる。

　本節では作画作業以外においてアニメーターたちが他社のスタッフと関わり合うのはいかなるときなのかを検討した。これらについては，関わり合いが発生するのはアニメーターたちが本格的に作画作業に入る前（仕事の依頼・打ち合わせ）か，作業が終了に近づくころ（進捗の確認）であり，作画作業がなされている真っ最中に他社の制作進行等が作業に介入してくることは，何か制作工程上のトラブルがない限りは起こりにくいということがいえる。言い換えれば，他社と直接に調整を行わなければならないタイミングはあらかじめ定まっており，そのタイミングが訪れるま

3）ここで用いられている「便」という語は，一般に海外の下請会社にカット等を送る際の空輸便を指す。

ではもっぱらアニメーターは作画作業に集中することになる。

　それではアニメーターたちが作業の大部分の時間を費やす作画作業において，アニメーターは何を行っているのだろうか。次節以降ではこのことをみていくと同時に，机に向かいながらもアニメーターは他者との協働という課題に取り組んでいること，そしてその協働の仕方が X 社の空間的編成と関わっていることについて論じたい。

3　個人的空間としての作画机

　本節では，原画・第二原画・動画の工程において，作画机がどのような空間として構成されているのかについて分析を行う。具体的には，作画机に実際にどのような物や道具が配置されているのかを，フィールドワーク中に得た映像データのなかからみていく。

■ 3-1　原画の作業机

　図 3-2 は原画作業中の藤川の作業の映像データの一部をキャプチャーしたものである。机上とその周辺を見ると，さまざまな道具や資料が置かれていることがわかる。これらについて一つひとつ確認していくことにしよう。

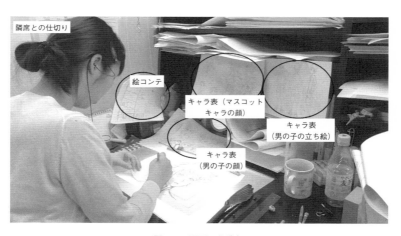

図 3-2　原画の作業机

　まず重要なのが３枚あるキャラ表の左手に置かれている「絵コンテ」である。図3-2では小さくしか映っていないが，絵コンテは原画マンに対して渡される絵付きの指示書であり，カットごとのキャラクターの動きやシーンの説明，セリフ，そのカットに要する時間（最小単位が1/24秒）などが記入されている。この藤川の例では絵コンテは左前方に配置されているが，人によっては（右にある「キャラ表」のような形で）棚につり下げておいたり，ブックスタンドなどに広げて置くこともある。いずれにせよ３ヶ月のフィールドワークを通して，原画作業を行っている者はみな絵コンテをつねに参照可能な位置に配置していた。

　次に，正面に３枚配置されている「キャラ表（キャラクター表）」がある。これは原画マンが担当しているシーンに登場するキャラクターについての詳細な設定が描き込まれたものである。図3-2においては，藤川は右に男の子のキャラクター，左にマスコットキャラクターが映ったシーンを作画している。それに対応して，それぞれのキャラクターのキャラ表が机上に配置されている。さらに男の子のキャラ表については，顔に関する設定が記されたものと，立ち絵に関する設定が記されたものが別々に用意されている。このうち顔に関する設定に関しては，顔の輪郭や目の形や髪型などに加え，前髪が目にかかった場合に目が透けるかどうかなどが詳細に記されている。作品によっては立ち絵の方にも衣装について詳細な設定が記されていたり，場合によっては衣装や小物などだけで一枚の設定表が配布されることもある。これらの資料を参照しながら，原画マンは与えられたカットを構成する作画作業を進めていくことになる。

　さらに，図3-2には原画用紙を留めるタップやクリップ，机の上の消しかすを払うための箒，作画に使用する鉛筆や定規などが映っているが，これらがどのように使用されるのかに関しては次節にて分析を行っていくことにする。

　ここでは，藤川の頭の左に示してある，「隣席」との仕切りに着目したい。各々の作画机の間は，基本的に仕切りで区切られており，机に正対して作画を行っている状態から顔を横に向けても，隣のアニメーターの手元は見えないようになっている。さらに藤川と同様に，多くのアニメーターはイヤホンやヘッドフォンを装着して耳をふさいだ状態で仕事を進めている。これらのことが相まって，作画机はその席に座るアニメーターの個人的な空間としての意味合いを強めることになる。このことは本書全体を通じて重要な点であるので，ここで一度指摘しておきたい。

図3-3　第二原画の作業机

■3-2　第二原画の作業机

　図3-3には第二原画作業中の村田の作業机が映してある。前項で扱った原画の作業机と同様，キャラクター表が配置されている。このように原画と同様の資料が用いられ，これが大人数での分業をしつつ全体の絵柄を統制することを可能にしているが，前項で用いられていなかった資料や道具も目につく。

　たとえば正面には「各セクション修正例」という資料がかざしてある。それを見ると，それぞれ異なる色の紙にキャラクターや背景などが描かれたものが並べられて印刷されていることがわかる。これは，原画マンの用意したレイアウトに対して作画監督や演出を中心にさまざまな工程が修正指示を行う際に，どの工程がどの色の紙を使うかを示したものである。これにより，修正指示者と修正担当者が直接顔を合わせなくても，誰の修正指示であるのかを担当者が把握できるようになっている。

　さらに左には「タイムシート」という緑色の紙がある。これは原画マンによって記入され，動画マンが作業する際に用いるものであり，原画を含む各動画のタイミングが記入されている。

■3-3　動画の作業机

　次に動画の作業机を見てみよう。図3-4には動画マン（阿部）の作業机が映してある。原画・第二原画と同様に正面にキャラクター表があり，クリップで吊されてい

図 3-4　動画の作業机

る。さらに左手にはタイムシートが配置されている。これら原画・第二原画・動画
の作業机を見てみる限り，絵コンテ・キャラ表・タイムシートという三つの資料が
主に作業上参照するべきものとして机に配置されていることがわかるだろう。これ
らの資料を参照しつつ，アニメーターは手元の鉛筆・色鉛筆を用いて，作画用紙に
作画を行っていくことになる。

　さらに，阿部の机の左側には黒い個人用テレビとスマートフォンが置かれている。
図 3-4 においては阿部はテレビの電源を落としているが，この映像撮影時以外はお
おむねテレビを付けながら作業を行っていた。これは阿部が特殊ということではな
く，X 社内の多くのアニメーターたちはスマートフォン・テレビ・PC などを起動
して，進行中の仕事とは直接関係のない映像や音声などを視聴しながら作業を行っ
ていた。もちろんこれらの通信機器が仕事に関連する作業に用いられることもある
（作画や絵コンテ作業に参考になる画像や映像などを参照するなど）が，いずれにせよ作
画机に座りながらどのような形で作業を進めるかは，原則として終始個人に任され
ていた。

　ここで重要なのは，アニメーターたちは作画作業をしている限り，図 3-2 〜図 3-4
のように机に正対して座った状態から姿勢を変えることなく，机上に配置された資
料を参照し，手元の道具を利用して作業を行っていくということである。資料は発
注元の企業の制作進行を通して，もしくは郵送で届けられる。鉛筆などの道具につ
いては，X 社内にストックがあり，個々のアニメーターが必要に応じて自身の作画

机に持ち運んでいる。その結果として，アニメーターたちは職場にいる際のほとんどの時間を自身の作画机に向かって過ごすことになる。アニメーターは席を立つのは，飲み物を補充しに行くとき，トイレに行くとき，食事を取るとき，電話がかかってきたときなど，作画作業以外に必要な事柄が生じたときに限られる。いわば，アニメーターの仕事は，ほとんどが個々の作画机の上で完結するようにデザインされている。

これに加えて個々人がイヤホンを装着して音声や映像を視聴していることが多いため，作画机という空間は職場という公的な空間のなかにありながら，その座席に属するスタッフの個人的な空間としての性格を強めることになる。こうした公的な空間のなかにある個人的な空間という性格から，作画机で進行中の作業を中断させて座席にいるアニメーターに対して話しかける際には，一定の公的な理由が必要になる。この点については第6章で議論していくことにする。

次節では，個人的な空間としての作業机で，実際にアニメーターがどのように作業を行っているのかについて分析を行う。おおまかにいえば，アニメーターの仕事は与えられた資料にしたがって作画をしていく作業だといえるが，アニメーターの協働を考えるうえでは，アニメーターが指示に従っていることを記述するだけでは十分ではない。というのもアニメーターが携わっている原画や動画といった工程は商業アニメーション制作の末端の工程ではなく，彼ら自身も次の工程を意識して作業をしなければならないからである。しかも，X社のスタッフが他社の仕事を別の場所で請け負っているのと同様に，X社のスタッフの仕事を引き継ぐ担当者も，同じ場所を共有していないことが多い。そうしたなかで彼らはどのようにして協働を行うのか。次節では第二原画から原画への申し送りを事例として，このことについて明らかにしていきたい。

4 指示を受けつつ指示を与えること

本節では，アニメーターが場所を共有しないなかでどのようにして協働を達成しているのかという問いの一端として，第二原画の担当者が動画担当者に対して自主的に行う申し送りを取り上げる。

■4-1　第二原画における指示の追加
第二原画の工程は，基本的にはレイアウトの作画をより明瞭な線に清書していく

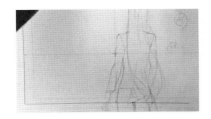
図 3-5　A1 のレイアウト

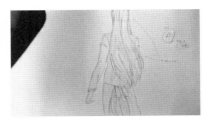
図 3-6　A1 の第二原画

作業である。それを受けて動画が中割りを入れて行く。しかし，レイアウトにおいて示された動きだけでは動画マンがそのシーンにおけるキャラクターなどの動きを誤解する恐れがあるとき，第二原画の担当者が補足的に作画を追加する場合がある。以下ではその事例をみていく。

　図 3-5〜図 3-9 のキャプチャーは，第二原画を担当していた村田が撮影した動画から取得したものである[4]。

　この作画されたシーンは，レイアウト段階では A1・A2・A3・A4 の 4 枚の原画が用意されており，A1 の段階では後ろを向いている髪の長い男性キャラが，少し小走りし（A2）立ち止まり（A3），左回りに振りかえる（A4）というカットである。

　原則として，第二原画の職務はレイアウトの清書にあると述べた。まずそのことを確認しよう。図 3-5 は，村田の前に作業したレイアウト担当者が作画した，A1 の原画である。髪の長いキャラが後ろ向きになっている様子が描かれ，右には画像だと明瞭ではないが，「スタート」という字と，丸で囲われた「小走り」という文字が記入されている。こうした原画をもとに，第二原画の担当者は清書の作業を行っていく。

　図 3-6 は，図 3-5 の A1 の原画を受けて，実際に村田が作画した A1 の第二原画である。レイアウト段階の作画と比較すると線が明瞭な形で引かれており，かつ水色の色鉛筆で色が付けられている。このシーンではキャラクターの左前方から街灯の光が当たっており，そのためキャラクターの背中側は影になる。水色は影を示すためにここでは用いられている。

4）4 月 15 日での撮影時には，1 時間しか撮影できなかったこともあり，村田さんは撮影終了時に「原トレ（原画トレス）だけで終わってしまい，動画みたいな作業しかできなかった」と述べていた。これを受けて村田さんは後日自ら作業終了した作画を撮影し，筆者に送付してくださった。本節の分析はこのご厚意があって可能になったものである。

　図3-6でも，レイアウト担当者が申し送りとして記入している「スタート」「小走り」は引き続き記入されており，動画マンへと指示が引き継がれている。さらに，キャラクターの右耳と右肘があるあたりの髪の毛には矢印が向けられ，そこには「ゆれるライン」と記入がされている。これは，キャラクターが歩く際にどのような方向に髪が揺れるかを示している。この指示はレイアウト段階では示されていないため，第二原画を担当した村田が次工程の動画マンに向けて自ら加えたものである。

　こうした指示があることで，動画マンの側は実際にどのように髪を揺らせばよいのかが明確になり，中割りを作成する際に迷ったり，誤った動きを作ってしまうリスクが少なくなる。こうした第二原画担当者による申し送りの追加など，個々のアニメーターが単に指示を実現するだけではなく各々が次の担当者に指示を与えていくことによって，分業したなかでの作品制作が可能になっているのである。

　本項でみてきたのは，レイアウトに対して清書するという，もともと第二原画に含まれていた職務のなかで，追加の指示を与えるという活動であった。次項では，レイアウトの清書に加えて，さらに独自に作画を追加する形で動画マンに対して指示を与える活動について扱う。

■4-2　原画の追加

　前項まででは A1 の作画について指示が追加されていることを確認してきたが，この後の A4 までにどのような作画がなされているのかについて確認しよう。図3-7〜図3-9 は，A1 に続くカットである A2 にかけて作成されたものである。これらを見ていくと，まず図3-9 についてはそれぞれキャラクターの右側に「A2」と表記があり，レイアウトを清書したものであることがわかる。第二原画の本来的な職務としては，これらの作画を行った時点で十分に達成されているといえる。

　しかし，それらの間には，右側にカタカナを三角で囲った表記がある原画が配置されている。これらは与えられたシーンにおいて次の工程の動画が中割りを作成する際に誤った動きを作ってしまうことを避けるために，第二原画の担当者が自ら描き加えているものになる。実際にはどのような原画を作成し，どのような指示を与えているのかについて，以下でみていくことにしよう。

　図3-7 と図3-8 はそれぞれ A1 と A2 の間の動きを示すものとして作画されたものである。図3-7 ではまず，右手に「ア」と三角で囲った表記があり，その下に「参考（　　　）トレス不可」と申し送りがなされている。このように A1・A2……のような正式な系列の番号づけではなく，カタカナで記号をつけることによって，こ

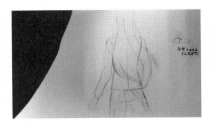

図 3-7　A1・A2 間の動きの指示（ア）

図 3-8　A1・A2 間の動きの指示（イ）

図 3-9　A2 の第二原画

の原画が正式な作業としてなされたものではないことが示されている。さらに「トレス不可」と申し送りがなされていることも，この原画が補助的に描かれたものであるという理解を導く助けとなる。というのも，次工程の動画の職務には原画の線をトレスする作業が含まれているためである。そこであえて「トレス不可」という申し送りを加えることで，その絵に関しては動画が直接トレスする義務を負っていないものであり，あくまで動きの「参考」として置かれているものであるという動画マンの理解を導くことが可能になる。

　さらに，図 3-7 と図 3-8 においては，（ア）で髪が右に揺れ，（イ）で元の位置に戻るという動きが示されていることも重要である。前項で示した A1 の第二原画では，村田が動画マンに対して髪のどの部分が揺れるのかについて指示を書き加えていることを確認した。上記の（ア）と（イ）では，その矢印で示されていた部分（右耳・右肘あたりの髪の毛）が中心に揺れていることがわかる。村田は自身が加えた指示について，それがより的確に伝達されるように，自ら 2 枚の絵を追加して，実際に動きの例を示したのである。図 3-7 と図 3-8 の原画は，こうした指示と髪の動きの結びつきのもとで，動画マンが参考として理解することが可能な作画になっているのである。

　これらの参考用の原画を経て，A2 の清書として描かれた第二原画が図 3-9 であ

る。キャラクターが身体を揺らしながら歩いているシーンであるため，頭部がどのような軌道で動くかについて補助線が描かれている。ただし，この補助線はレイアウトの段階からあったものである。

　何度も述べているように，図3-7，図3-8のような原画の追加は第二原画の職務には本来的には含まれていないものである。しかしレイアウトと第二原画を分業して作画を行うという仕組みも必ずしも厳密なものではなく，レイアウトの段階でほぼ清書に近い作画を仕上げる者も存在する。つまり少なくとも指示を逸脱しない限りでは個々のアニメーターには一定の裁量が与えられているのであり，本項で扱ったような原画の追加という作業も，そうした裁量の範囲内で，指示をより正確に伝達するために行われたものであるといえるだろう。

　本節ではこのような第二原画の担当者による指示の追加を，協働を達成するための一つのワークとして扱ってきた。これはアニメーション制作の協働に資するワークの一つでしかないが，レイアウトに指示を加えたり，原画を追加したりすることを通して，場を共有しないなかでの他者との協働が可能になっていることは確認できる[5]。このことは再度作画机という空間という論点に戻れば，これも他者との協働が作画机上で完結するように職務がデザインされていることを示しているといえる。必要な指示は絵コンテ・キャラ表・原画用紙本体に記されており，それを参照しながら作画を行い，さらに詳細な指示が必要であれば，また原画用紙に書き加えがなされる。そしてそれらの用紙が入ったカット袋を制作進行が次の担当者や会社に運搬する。こうした協働の仕方を通して，アニメーターたちは作業時間の大半を作画机に向かって過ごしながら，空間を共有しない大人数の他者との協働を達成するのである。

5）こうした本来の職務以上の作業を個々のアニメーターが担うことによって，個々人の負担が増大したり，労働時間が長くなることを懸念する者もいるかもしれない。本項の事例でも実際には描く義務がない作画を追加しているのであるから，もちろんそのような効果が及ぶことは考慮されるべきである。しかしこうした効果は，場を共有しておらず，かつ対面的に指示を伝達する機会が少ないというアニメーション制作における協働の仕方に由来するものでもある。いずれにしても本来以上の職務をアニメーターが担うことが実際にはどの程度あるのか，かつそれが労働時間等にどれほど影響するのかに関しては本書の課題を超えるものであり，今後の課題としたい。

5　結　　論

　本章では，アニメーターによる生産活動を取り上げ，その作業のデザインと職場における作画机という空間との関わりについて論じた。第2節ではその前段階として作画作業以外の他者との関わりが，あらかじめタイミングの定まった形でなされていることを示した。第3節では個々人の作画机が隣の机との仕切りやアニメーターの身体的配置によって，個人的な空間としての意味合いを帯びていることを指摘した。第4節ではそうした個人的空間のなかで作画作業を行う際に，与えられた指示に加えて，後工程の者に向けた指示がさらに描き込まれていくことを分析した。このような実践のもとで，アニメーターはあくまで作画机という一つの場所に留まって大部分の作業をこなしながら，空間を共有しない他者との協働を達成することが可能になっているのである。そしてこのことは，X社の職場の空間的秩序という観点では，作画机を個人的な空間として構造化していく実践でもあることを示した。

　しかしここでいう「個人的空間」とは，「私的空間」とは意味合いが異なることには注意が必要である。つまり，作画机で作業しているアニメーターに対して，作業を差し止めて介入的に話しかける行動がX社内で一切みられないわけではない。この点で，作画机はそこで何をしていようが他者から一切干渉されない，というような完全に私的な空間になっているわけではない。むしろ，X社内においては社内の成員が相互に個々の作業や職場内の空間に配慮をしながら活動を組み立てていくことによって，作画机は個人的な空間になっているのであり，どちらかというと「公的空間」なのである。本書の主題に即して言い換えれば，作画机という（経済活動の一環としての）生産活動がなされる場の秩序は，X社の職場の規則に志向した実践を通して達成されていくものなのである。こうした規範に志向した実践によって支えられた生産活動があるということは，X社における規則と行為が不可分に結びついていることを示す一例となっている。本章では作画机が個人的空間として構造化されていることを明らかにしたが，次章以降ではその周辺でなされるX社の仕事上重要な活動に焦点を当てていく。その分析を通して，作画机という空間の秩序が成員たちの実践を通して達成されていることを明らかにしていくことにしたい。そのなかでは作画机も含めて，X社内での成員の活動はその空間の編成と密接に結びついた形でなされていくことが指摘される。この作業を通して，X社におけるワークスペースの構成がどのようになされているのかをより広く明らかにしていくことを試みる。

04 労務管理
仕事の獲得・不安定性への対処・協働の達成

1 問題設定

　本章では，X社における労務管理の実践について分析を行っていく。X社におけるアニメーターの多くは雇用形態上は個人事業主であり，X社とは専属契約という形で働いていた。このようにX社のアニメーターたちは直接雇用されているわけではなく，実際にアニメーターたちの労働時間はほぼ管理されていない状態にあった。このように働き方が個々人に任されていることは，X社の，そして多くのアニメ制作会社の規範の一端を構成しているものといえるだろう。また，専属契約の個人事業主を強固な労務管理のもとにおいてしまうことは，偽装請負に抵触する可能性もあり，一般的に避けられるべきものである。

　しかし，X社においては労務管理的な実践をしばしば観察することができた。以下で主題としてみていくように，マネージャーなどによって個々のアニメーターはさまざまな労務管理をされていた。それでは，原則的に個人に対して介入的にならざるをえない実践である労務管理がX社においてなされていることにはどのような意味があるのか。より具体的にいえば，原則的にはフリーランス的な働き方をし，業務の大半は作画机の上で行うアニメーターが，どのようなときに労務管理を必要とするのか，そしてそれはどのようにして成し遂げられるのかについて，以下では分析を進めていきたい。

　第2節では，アニメーターが受注する仕事の契約が締結されるにあたってはそれに至るまでの打ち合わせなどでマネージャーがつねに介在するが，これにより報酬水準の維持・向上が可能になり，個々のアニメーターが劣悪な労働条件を了承してしまうリスクや，交渉にかかる負担を軽減していることを指摘する。第3節では，

マネージャーがつねに社内外の作品制作の情報を仕入れていることにより，アニメーターが手元に仕事がなくなりそうなときに，相談して他社から仕事を獲得してきてもらうことができ，フリーランス労働特有の不安定性を軽減していることを示す。第4節では社内のアニメーターが実際に体調不良などのトラブルにともなう不安定性に見舞われたときに，マネージャーを中心として調整し，社内のアニメーターでまかないきれないぶんの原画を担当するなどの対応を行っていることを示す。

2 報酬水準の交渉

　本節では，X社のアニメーターたちがどのようにして仕事を獲得しているのかについて焦点を当てる。通常，アニメーターたちは作品制作全体の進捗管理を担当している制作進行か，自らの知り合いのアニメーターなどから仕事の情報を獲得し，それに依拠して次に請け負う仕事を決定していく。近年のアニメ作品は放映期間が3ヵ月（12〜13話）程度であるものが多く，多くのアニメーターにとって長期間にわたって同作品を安定的に受注することは難しい。そのため，アニメーターたちは手元作業をこなしつつも，つねに次に請け負う仕事を得ることに注意を向けていなければならなくなる。このように労働者が結ぶ労働契約が短期的になり，不安定な労働に従事せざるをえなくなる傾向は，クリエイティブ産業一般に認められる特徴である（Conor et al. 2015）。

　こうしたアニメーターが一般に直面する問題に対して，X社ではマネージャーという独自の職務を設けている。マネージャーはその業務のなかで，他社からきた受注依頼をまとめたり，社内のアニメーターの仕事に対する希望を聞いたりすることを，専門的に行い，作品制作の業務には直接かかわらない。アニメーターの人的ネットワークや制作進行からの情報に依拠するのではなく，こうした専門的な職務を設けていることにはどのような意義があるのだろうか。実際にX社のなかでなされたマネージャーの実践をみながら，それを以下で確認していきたい。

　まず取り上げるのは，マネージャーの小林がX社内にて他社のプロデューサーと仕事の受注に関して打ち合わせを行っている場面である。打ち合わせは応接室側テーブルで行われた。1月24日14時ごろにX社にやってきたプロデューサーは，2017年夏頃にテレビ放送が予定されているある作品の制作について，作画スタッフとして武田と松田の二名を起用したいと申し出た。武田と松田は両名とも以前にプロデューサーの属する制作会社の仕事を請け負ったことがあり，マネージャーも受

注すること自体に関しては快諾した（FN20170124：1405_1）。

　まずここでは，受注の依頼がマネージャーに来ているということが重要である。あくまで作画の仕事を実際に行うのはアニメーターの側だが，まず受注の依頼に関してはマネージャーが受けている。これは X 社において例外的なことではなく，この事例以外における仕事の受注依頼も原則的にはマネージャーを介して行われる[1]。組織に属さず完全に個人で仕事をする場合は，こうした受注に関してもアニメーターが自ら行うことになるが，マネージャーという役職が置かれることでアニメーターはそうした作業に携わる必要がなくなり，自らの専門性を活かす作画の仕事に集中することが可能になる。

　さらにマネージャーが行う交渉は，単に仕事の受注を受けるかどうかだけではなく，指名のあったアニメーターたちの労働条件にまで及ぶ。上記の事例において，プロデューサーは二人のうち武田を，キャラクターデザイン・総作画監督として起用したい旨を伝え，拘束契約を結びたいことを伝えた。小林は武田の労働条件について尋ねると，プロデューサーは条件面に関しては武田と直接交渉したいと述べるが，マネージャーは「いや，それは私を通してください」と言った。それを聞いてプロデューサーは月あたりの報酬額とともに拘束契約を武田に提示する旨を述べるとともに，「拘束で△×（金額）[2] で考えています」と伝え，マネージャーはそれならば受諾できると述べた（FN20170124：1405_2）。

　このようにマネージャーは賃金交渉に至るまでアニメーターの仕事の獲得に関わっている。マネージャーが賃金交渉を行う事例は他にも観察された（FN20170404：1650）。もちろん最終的な決定はアニメーターに委ねられるが，このようにマネージャーという専門の役職の者が交渉を担うことによって，アニメーターの側にとっては作画作業に集中できるほか，不当に低い条件が提示された場合に，それを受け入れてしまうリスクを回避することができる。アニメーターは作業時間の大部分を作画の仕事に割いているため，自らの仕事について適切な相場観をもっていない場合もある。マネージャーが交渉を担うことは，このようにアニメーターがしばしば苦手とする部分を補い，アニメーターの能力を生かすうえで重要な

---

1) 電話などで特定のアニメーターに対して依頼が来ることもあるが，その際もアニメーターの方が受注するかどうかを決めたうえで，その後マネージャーへの報告が行われる。

2) このデータの具体的な金額は調査先からの依頼により伏せている。なお受諾した理由について，後日小林さんは「会社が手数料を差し引いた後の金額で本人の生活に支障がないかを判断したため」と述べている。

機能をもっているのである。

　さらに，もう一つの賃金交渉の事例をみてみよう。以下は，調査当時にX社が例外的にまとまった仕事を受注していたY社のプロデューサーと小林の，4月4日におけるやりとりである。X社はY社が元請けを担っている2017年1〜3月にかけてテレビ放映された作品Aの作画作業の一部を請け負っていた。さらにY社に対しては複数名のスタッフがX社から出向していた。この4月4日という時期は，その作品の放映が終わり，関わっていたX社のスタッフが次の仕事に移行していかなければならない時期である。

　とくに出向していたスタッフには，そのままY社への出向を維持するか，X社に戻って仕事をするかの選択肢があった。以下は，Y社に出向していたアニメーターである宮西の処遇をめぐって，プロデューサーと小林が，応接室で交渉を行っているデータである（フィールドノート4-1）。

　小林は，プロデューサーが提示した「拘束で（（月あたり））35万円」という契約に対して，その金額では了承できないことを伝えている。その理由として挙げられているのは，宮西の家族状況として，同業者である配偶者とともに子育て中であったことである。さらに宮西には別の会社からのオファーもあり，そちらではY社プロデューサーが提示した額よりも高い金額（40万円）が提示されているという。

●フィールドノート4-1

FN20170404：1620_1　　小林さんとY社プロデューサーの賃金交渉①

　他社のプロデューサーと小林さんが応接室で話している。出向しているスタッフを中心に，次の作品以降における契約について話し合っている。
　話が始まってしばらくは宮西さんの労働条件についての話をしている。最初プロデューサーは拘束で（（月あたり））35万円という額を提示するが，小林さんはその額だと成功報酬なしでは厳しいと述べる。その理由として，宮西さんは配偶者もアニメーターで子どもがおり子育て中であることが述べられている。さらに宮西さんには別の会社からも仕事をやる話があり，そちらでは40万円を提示されているが，小林さんは同じ金額ならY社での仕事の方がよいだろうと言い，40万円を希望すると述べた。プロデューサーは宮西さんには絵コンテも担当してもらっているため，それで追加の金額をつけることは可能なことを述べ，いったん40万円ということにするとした。

これらの手続きは家族状況の観点でも，他社からのオファーとの比較という観点でも，Y社プロデューサーの提示した条件が不十分なことを説明するやり方になっているといえるだろう。

　そのうえで小林は，その代替として，受け入れ可能な労働条件の提案を行っている。それは他社からのオファーと同額の「40万円」を提示するという内容である。これは「同じ金額ならY社での仕事の方がよい」と宮西も考えるだろうという推論のもとに提案されている。それに対してY社プロデューサーは，宮西が原画だけではなく絵コンテの業務も行っていたことを述べ，その分の追加という形で，一旦小林が提示した条件を受け入れることを伝えている。

　この断片において，小林は宮西の家族状況や他社からのオファーを提示することでY社プロデューサーの提案の不十分さを説明し，結果として当初のプロデューサーの提案よりも高い条件での契約を了承させることに成功している。先の分析でも示したように，マネージャーがこのように交渉を代行することは，アニメーターが低い条件での契約を了承してしまわないこと，より高い条件での契約を結ぶことに対して有効に機能している。

　また，小林が代替として提示した条件が他社が提示した額と同額（40万円）であること，そしてその際に同額ならばY社での仕事を宮西も希望するだろうという推論を述べていることも重要である。この代替案においては，他社のオファーがあることを利用して，より高い金額を要求することも論理的には可能であったはずである。だが，当然のことだが，あまりにも高い金額を要求すれば，逆にプロデューサーの側が了承しないだろう。この点において，「同じ金額ならY社での仕事の方がよい」という言い方は，同じ金額以上であれば宮西も了承するということを含意しており，「同じ金額」（＝40万円）は，宮西が了承するであろう最低水準の金額ということになる。このような示し方をすることによって，40万円という提示が決して欲張った水準の金額ではなく，交渉の妥協点として適切な水準であることが示される。このように小林はその交渉の仕方を通して，Y社プロデューサーとの穏当な妥協点を形成していたのである。

　さらに，上記のやりとりにおいて宮西の報酬水準を高くしたことは交渉という点においてさらなる意味をもっている。それがわかるのが上記のやりとりに続く部分である（フィールドノート4-2）。

　宮西の賃金交渉が終わったあと，Y社に出向していたほかのアニメーターたちについての交渉が開始される。そこで，作品Aの原画作業を中心に活躍していた和

●フィールドノート 4-2

FN20170404：1620_2　小林さんとY社プロデューサーの賃金交渉②

その次に和田さん・西岡さんの条件について話す。和田さんの条件について，「拘束であれば（（宮西さんより））和田の方が上で当然」であるとし，プロデューサーは「45（（万円））くらい」を提示して，若手の面倒も見ることを条件に承諾した。また西岡さんに関しては本人が半拘束を希望していることを伝え，本来の拘束料の半分を固定で支払い，残りは単価で支払う契約となった。単価の交渉が終わると，プロデューサーはX社のスタッフで起用できる者がいないかを小林さんに尋ねている。村田さん・山口さん・栗原さんが挙がるが，村田さんと山口さんはすでに次の仕事が決まっていること，栗原さんは休養中であるために難しいことを述べた。その代わりに，研修生の岡田さんが戦力になれることを小林さんは述べた。

田と西岡に関する交渉がなされた。このとき，和田は同じ拘束契約という条件のもとで，「（（宮西より））和田の方が上で当然」と述べられ，それを受けてプロデューサーが「45（（万円））」という金額を提示し，和田にY社の若手アニメーターたちの指導も行ってもらうことを条件に了承されている。

　ここでは，宮西よりも和田の方が高い報酬を受け取るべきであるという理解のもとに，それをプロデューサーも認めたうえで実際により高い水準の報酬が設定されている。和田の方が高い報酬を受け取るべきであることは，プロデューサーが自らより高い金額を提示していることから，小林との間で共有された認識であるようだ。

　だがそれよりも重要なのは，このやりとりが宮西の交渉のあとに行われることで，結果として和田の受け取る金額の水準もより高くすることが可能になったということである。もし小林が当初宮西に対して提示された金額である35万円を了承していたのであれば，仮に和田の方が高い報酬を受け取るべきであったとしても，その基準は40万円でも満たされる可能性があった。ここでは宮西の報酬自体がすでに高くされていることによって，いわば玉突き的に，和田の報酬を上げる可能性が開かれているのである。

　この点もまた，アニメーターが個々で交渉をするのではなく，複数のアニメーターについての情報を有しており，それについてまとめて交渉をすることができるマネージャーが交渉を行うことの利点を示しているといえる。アニメーターが個々に交渉を行ったときには，ここで小林が用いたような，直前の交渉で定まった水準

を利用して次にさらに高い報酬を設定してもらうというような技法を用いることは難しいと思われる。というのも，この技法を用いるためには，他のアニメーターとの報酬水準を知ったうえで，自分自身の能力や実績がその比較対象よりも優れていることを示すことができなければならない。もちろんアニメーター自身も他のアニメーターとの連絡を密に取ることができればいくらか可能になると思われるが，情報収集も交渉もアニメーターの本来的な職務からは離れたものであり，これらすべてをアニメーターに要求することは大きな負担を強いることになると思われる。マネージャーという職務の設置は，そうしたアニメーターの負担を軽減して，より高い条件でアニメーターが契約を結ぶことを可能にしているのである。こうした負担の軽減は，アニメーターが本来の業務であるところの作画作業に集中することを促すこともできるだろう。

　これらのことは，見方を変えればアニメーターたちがマネージャーの管理のもとにあるということを示している。現に本節で扱った交渉の場にアニメーター本人は同席しておらず，ややもすればマネージャーが勝手に報酬水準を決定していると捉えられるかもしれない。また，たとえば団体交渉が可能になれば，月35万円を40万円にするよりももっと高い水準の賃上げを達成することができるようになるかもしれない。しかし多くのアニメーターたちがフリーランス的に流動的な働き方をしているなかでは，そうした団結を行うことが現実的に容易ではない。マネージャーによる交渉は，アニメーターが個々人で交渉するよりもよい条件を獲得する現実的な仕組みになっているのである。

　本節では，X社ではマネージャーが仕事の獲得や賃金交渉を担っていることを，他社のプロデューサーとのやりとりに関するフィールドノートを分析することによって確認してきた。そのなかでは，マネージャーによって交渉がなされることが報酬水準の向上につながること，そしてそれによってアニメーターが交渉において抱えるリスクや負担を軽減していることを示した。しかしマネージャーという職務が設置されていることの機能は，こうした社外との交渉に限られない。次節ではそうした一つの事例として，アニメーターという職業に従事する者特有の問題が，マネージャーの存在によって有効に対処されうることをみていく。

3 仕事の不安定性への対処：「手空き」への対応

　本節では，アニメーターが仕事を行ううえでしばしば直面する，仕事が途切れて

しまうという問題がマネージャーを中心としてどのように対処されるのかについて分析する。

アニメーターの多くはカット単位・枚数単位で自らの仕事を受注し，一つの作品に長い期間関わり続けることは，上記で議論したような拘束契約を得られる場合を除いてはあまり多くない。さらにアニメーターが制作した原画は，作画監督や演出担当者などによってチェックがなされ，そのチェックがなされる間はアニメーターの手元にはこなすべき仕事がない状態になる。この状態は，「手空き」と呼ばれる。こうした状況に対して，アニメーターはたとえば複数作品を掛け持ちするなどして手空き状態が生じることを極力避けるように努めるが，とくにチェックが長引くことなどは個々人の努力ではどうにもならない部分もあるため，どうしても手空き状態になることが避けられない。

この場合，アニメーターは自らの人的ネットワークなどを介して仕事をみつけなければならないが，Ｘ社ではこの点に関してもマネージャーが担っている。まずＸ社にはたびたび原画などの受注依頼が届いているが，それらは一度マネージャーが内容を聞いたうえで，社内に希望者がいる限りにおいて受注できると判断されたものに関しては，社内に原画依頼が来ている旨が掲示される。掲示は食事スペースの近くになされており，アニメーターたちのなかには食事や休憩などの際にこれをチェックする者もいた。

以下はフィードノートのなかに記録された，小林と小松との４月１日における会話である（フィールドノート4-3）。

まず小松は，４月７日ごろから手空きになりそうな状況であり，他社から仕事の話はあるものの，実際に作業する仕事を得られるのが遅れる可能性が高いことをマネージャーに対して伝えている。それに対してマネージャーは現状社内スタッフが仕事を各々で取っている状況にあり，Ｘ社としてまとまった作品を受注していないことを伝えている。これはまとまった仕事を受注している状態であれば，その一部を小松に回すという対処を取ることができるが，現状ではそれが難しいことの説明になっている。

小松はそれを受けて，今後社内スタッフがまとめて受注するような仕事があればそれに加わる意思があることを伝えている。マネージャーは現状のなかでは比較的まとまって受注している作品Ｄを挙げ，社内の若手アニメーターの中田も作品Ｄの仕事を待っている状態にあり，中田も近く手空きになる見込みと聞いていることを述べる。さらに中田の状況は発注元の会社も把握しているようであり，追加の仕

●フィールドノート 4-3

> FN20170401：2210　「手空き」についての相談と対応
>
> 小松：7日くらいから手空きになりそうで，話はあるけど OVA[3] とか 10 月番でたぶん遅れるので当てにせん方がいいかと。
> 小林：あ，わかった。今みんなでたらめに取ってまとまったものを取ってないんだよね。
> 小松：((原画募集の予定表をみながら)) ここらへんで空いちゃうんですよね。何をやるか。みんながまとめてとるやつがあったら。
> 小林：わかった。今まとめてあるとしたら作品 D かな。中田さんも作品 D 待ちなのよね。
> 小松：あっそうなんですか。
> 小林：それと二原中田さんが水曜くらいに空きそうと言ってるんで，そのころくらいに聞いてくると思うからそれと一緒にお願いすることはできる。
> 小松：お願いします。あの，一応，作品 E か作品 F がやりたいです。作品 E 話が来ないんですよ。
> 小林：ああいいよ。作品 F はあると思う。聞くだけはこちらの自由なので。

事依頼をしてくる見込みであるため，その際に小松の仕事の分まで受注ができるか尋ねてみると述べた。

　さらに小松は，自らが関わりたい作品の希望として，作品 E と作品 F という二つの作品（いずれも他社の作品）を挙げた。これについても小林は聞き入れ，とくに作品 F に関しては元請制作会社に尋ねれば受注できるだろうと自身の見込みを述べている。

　この会話の断片からは，まず X 社においてマネージャーが他社作品の稼働条件も含めて，仕事の受注に関する知識を一手に把握している人物として他のアニメーターからも期待されていることがわかる。そのため，小松は自身が手空きになる見込みになったことをマネージャーに伝えるのであり，かつマネージャー自身でも社内のアニメーターの仕事の進捗状況がどのようになっているかを逐一把握するよう

---

3) オリジナル・ビデオ・アニメーションの略。あらかじめビデオとしてパッケージ化した映像を販売する。

努めている。このことは前項での知見と同じように，アニメーターにとっては自身の作画業務に集中し，それ以外の部分における不安定性やリスクを軽減するよう機能しているといえる。

さらに，小松がマネージャーに対して請け負いたい作品の希望を述べることができている点も重要である。小松は実際に希望した作品Fの仕事を，上記のやりとりから11日後の4月12日には遂行していた（FN20170412：0033）。通常の人的ネットワークにのみ依拠した仕事の獲得では，もし関わりたいと希望する作品があっても，そのネットワーク内に当該作品の関係者がいなければ，そうした仕事にたどりつくことはできない。それに対してX社ではマネージャーが広く情報収集することを専門的に行っているため，アニメーター自身が広いネットワークを有していない場合でも，希望する仕事に到達しやすくなっている。ひとえにアニメーターの仕事といってもアニメーター自身が関わりたい作品などは多様であり，かつ作品ジャンルによって得意不得意も存在するため，アニメーターが広く作品を選択できる状況にあることは，アニメーター自身が仕事を行っていくうえで非常に重要な要素である。X社は組織として会社に集まり，アニメーターとマネージャーの間で分業関係を築くことによって，アニメーターが通常であれば抱えやすい問題に直面しにくくなるような技法を用意しているのである[4]。

本節ではこのように，アニメーターがその仕事の流動性がゆえに直面する「手空き」という問題に対して，マネージャーが他社や社内のアニメーターの情報をつねに把握しており，それによって手空きが生じる前に解決できることを示した。さらにこうしたマネージャーの情報の管理は，アニメーターが個々にもっている関わりたい作品の希望を叶えることにも資することを指摘した。

だが，組織内で生じる問題は必ずしも本節で扱ったように未然に解決できるわけではない。予測していても対処が間に合わず手空きが生じてしまうこともある。次節はそのような問題が実際に生じてしまった事例として，あるアニメーターが締切近くに体調不良になってしまった際のX社における対処の事例をみていくことにする。

---

4) 本章では十分に取り扱えなかったが，仕事の受注以外でも，組織としてX社のスタッフが集っていることでアニメーターが得るメリットは他にも多く観察された。たとえば経験のあるアニメーターが若手に教えるような人材育成上の実践や（FN20170208：0350；FN20170415：1530），作品制作の主要スタッフを選抜するオーディションへの参加者募集がX社に届き，若手のキャリアアップの機会が与えられる事例（FN20170405：1700）などがある。

4　トラブル時における仕事の譲渡：協働の調整

　本節では社内のアニメーターの仕事の進行にトラブルが発生した際に，マネージャーを中心としてどのようにして解決を行っているのかについてみていく。前節で議論したのは，マネージャーが労務管理を行うことには，アニメーターが抱えがちな不安定性に対処するという点で意義があるということである。この点で，前節で挙げたような「手空き」は現状のアニメーション製作の分業の形態からどうしても構造的に生じてしまう問題であった。それに加えて，これはどのような仕事でも起こりうることだが，アニメーターが体調不良などによって通常通りに稼働できなくなってしまうことがある。

　このような場合，X社ではどのような対応が取られているか。フリーランサーであることを鑑みた場合，そのようなトラブルも個人で対応するということも考えられるが，X社では組織としての対応が取られる。本節では，そうしたX社におけるトラブルの対応についてみていきたい。

　以下ではその事例として2月18日にあった出来事を取り上げる。フィールドノート4-4は，社内で原画作業を行っていた栗原が，体調不良のためにそのとき抱えていた仕事ができないことが発覚した際のものである。

　2月18日19時30分ごろ，小林は岩田・渡辺・藤川・小笠原・城島・松田それぞれの席を移動しながら，何か話をしていた。職場の観察を行うなかで，マネージャーがこのように6人ものアニメーターと立て続けに話をすることは，かなりイレギュラーな事態であった。こうしたそれぞれのアニメーターとの話し合いは，まさに社内においてイレギュラーな事態が発生していたために起きていた。それは，Y社から受注した作品Aの締切の迫った第二原画を抱えていた中堅アニメーターの栗原が体調不良をきたしたことにより，原画の作成が間に合わない可能性が生じたという問題である。

　この日栗原は連絡が取れておらず，この時間になってようやく連絡があった。栗原は小林に対してカットを自分でやると伝えたようだが，小林は社内で栗原の分の原画を配分して，社内で配分できない分は「まく」[5]，つまり社外に譲渡してしまった方がよいという判断を行っている。小林が声をかけた6名のアニメーターは，その栗原の分の原画を担当してくれるアニメーターの候補ということになる。小林が各アニメーターと個別に相談した結果，渡辺は引き受けられないということになり，残り5名で配分することになった。ここで渡辺が配分を断ることができているよう

●フィールドノート 4-4

FN20170218：1930　栗原さんの体調不良への対応

小林さんが栗原さんについて，岩田さん・渡辺さん・藤川さん・小笠原さん・城島さん・松田さんの席を回って話をしている。
栗原さんの体調が悪く連絡が取れていなかったが，ようやく連絡があった。
栗原さんは締め切りの迫った作品Aの第二原画（8カット分）を自分でやると言っているが，社内で配分して，残りもまいてしまった方がよいのではと提案している。
結果として，渡辺さん以外の5名で栗原さんが抱えていたカットを配分することになった。

配分が一通り終わったあと，小林さんは小笠原さんの席に行って，栗原さんと社内の状況について報告している。
小林：一から絵を作らないといけないのもあるのでそれはやりますって言ってる……。
小笠原：でも俺がもってるのとこれくらいじゃない？　今日はもう休めと。

に，マネージャーが個々のアニメーターの仕事の決定に関して強制力をもっているわけではなく，最終的な決定権はつねにアニメーターの方にある。

　配分を担当してもらうアニメーターが決まったあと，小林は社長の小笠原の席に向かい，そこで状況の報告を行っている。栗原自身は小林に対して，「一から絵を作らないといけない」カットについては自分でやると伝えているという。これは，栗原が抱えていた第二原画という職務が，原則的にはすでにレイアウトが描かれた（第一）原画を清書するという作業でレイアウトと比較すれば難度の低い作業とされるが，栗原が残していた一部の第二原画が，本来レイアウト段階ですませておくべき作業を残した難度の高いものになっているということを示している。それを他人

---

5)「まく（撒く）」という表現は一度担当すると決まったカットの一部を他のアニメーターに譲り渡すということを意味する。そのため本来的には「まく」といえば社内の他のアニメーターに作業を依頼することも，社外に依頼することも意味しうるが，このフィールドノートの断片においては社外に依頼することの意味で用いられている。また，X社では社外に原画などをまく場合には，もともと作業依頼をしてきた受注先の元請制作会社などに作業を返却する，という形をとることが多い。

に任せることは大きく負担を強いるだろうという責任感から，そうした難度の高いカットは自ら処理すると栗原は小林に申し出たと思われる。

　重要なのは，この小林が行っている栗原についての状況の報告が，それと同時にどのカットを誰に配分するのが適切なのかについての確認作業にもなっているということである。小林自身はアニメーターとしての業務を行っているわけではないので，仕事の難しさについては現職のアニメーターの方がより正確に判断できることが期待できる。さらに報告相手の小笠原は社長ではあるが，自身がアニメーターとしてキャリアを積み重ねてきた人物であり，そうした仕事の難度の判断を仰ぐ対象としては適切であるといえる。つまり，栗原が難度の高いカットが含まれていると述べていることを小笠原に伝えることによって，小笠原に対して栗原が残したカットが現に難しいといえるものなのか，そしてその配分が無理のないものになっているのかを確認するということを，ここで小林は行っているのである。

　小笠原はそれに対して，自分に配分されているカットと他にもう一つあるカットが栗原の言う難しいカットに相当することを応答したうえで，栗原にはこの日は休むよう伝えることを小林に対して促している。このもう一つのカットが誰に配分されたのかは調査中に確認できなかったが，小笠原の応答は難度の高いカットを自身が無理なく担当できることと，本当に栗原本人でなければ遂行できないような仕事が残されているわけではないことを示している。

　このようにして，締切の迫った仕事に対しては，X社のスタッフ同士で配分することによって，締切が破られてしまうことが避けられている。その際にもマネージャーが中心的な役割を担っていることをここまで確認した。しかしそもそも，なぜ社外に仕事を譲渡してしまうことも可能であるにもかかわらず，社内で配分する形での解決がここで志向されているのだろうか。これには二つの理由が挙げられる。

　第一に，X社の収益は，X社のアニメーターが担当した原画料などから一部を差し引くことで得られているためである。したがって社外に譲渡してしまうと，X社が得られる収益が失われることになる。企業経営という観点では，X社内で配分できた方が望ましい。第二に，注5で述べているように，X社で他社に仕事を譲渡しなければならない場合は，受注元の制作会社に差し戻す形を取ることが多く，これを行うと，受注元からすればX社がこなしてくれると期待した仕事が未達成のまま返却されるということになり，企業間の信頼関係を損なう可能性が生じるためである[6]。このような理由から，社内での配分という形式で解決を試みることは合理的なのである。

　さらに，この社内での配分は，マネージャーが中心になって行うことで可能になっているといえる。というのも，マネージャーは個々のアニメーターの状況をまとめて把握しているため，栗原が仕事をこなせないことが予想できた時点ですみやかに配分先の候補6名を定め，それぞれに相談を行っている。このとき，この6名の他にも，大塚・阿部・中田・岡田・坂本・石原といったアニメーターがX社内で作業している状態にあった。小林が6名それぞれの作業机に行って相談を行っていることからわかるように，この6名は明らかに社内全体から有志を募ったというよりも，小林があらかじめ選択的に候補として定めたものである。ここでどのような基準のもとに6名を選定したのかは定かではないが，アニメーターの側で，このように全体的な視点をもって適切な人員を選定するという作業を行うことは難しいと思われる。

　なぜアニメーターの側では人員の選定が難しいと考えられるかというと，個々のアニメーターはつねに何らかの作品制作を遂行する協働の体系に埋め込まれた状態で仕事をしており，もっぱらその協働体系のなかで与えられている手元の職務をこなすということが課題となっている。そこにおいて，社内のトラブルに対して人員を選定するというような作業は，どうしても余計なものになってしまい，負担を強いられるものになるためである。

　その一方で，全体的な視点をもつことが可能な位置にいるマネージャーは，社内での配分を有効的に遂行できる職務になっているのである。マネージャーは，自身が作画業務を行っていないという点で，それ自体は協働体系のなかに埋め込まれてはいない職務である。そのため，アニメーターのように手元の作業のみに時間をかけるという必要がなく，情報収集や把握などに時間を割くことができ，特定の作品を請け負うアニメーターにトラブルが生じたとき——つまり，一つの協働体系に綻びが生じたとき——に，すばやく人員を再配置して対処することができるのである。この点で，マネージャーが行っている一連の作業は，さまざまな協働体系に埋め込まれているアニメーターの状況を把握しておき，ある協働体系にトラブルが発生した際に，他のアニメーターが関わっている協働を調整して，そのトラブルを解決する活動であるといえる。マネージャーは，社内での仕事の配分を通して，アニメーション制作をめぐるさまざまな協働の一部を調整する活動に従事しているのである。

6）論理的にはさらなる下請けに出してしまうということも可能だが，これもまた露呈した場合はX社という企業の信頼を損なう可能性が生じると思われる。

5 結　論

　本章では，マネージャーの実践に着目しながら，X 社における労務管理の実践について分析を展開してきた。第2節では，アニメーターが受注する仕事の契約に際してマネージャーが受注先との交渉を行うことにより報酬水準の維持・向上が可能になり，個々のアニメーターが低い条件を了承してしまうリスクや，交渉にかかる負担を軽減していることを示した。第3節では，マネージャーがつねに社内外の作品制作の情報を仕入れていることにより，アニメーターが手元に仕事がなくなりそうなときに，相談して他社から仕事を獲得してきてもらうことで，フリーランス労働特有の不安定性を軽減していることを指摘した。第4節では社内のアニメーターにトラブルが発生して協働体系に綻びが生じた際，社内のアニメーターで残された原画などを配分する活動をマネージャーが中心となって行い，協働が滞りなくなされるように調整されていることをみてきた。これらの分析を通して，X 社においてマネージャーという役職が置かれていることが，手数料が引かれることを加味しても，アニメーターが被る負担を軽減するという点で合理性を有するものであることをみてきた。つまり，フリーランサーが集まっている X 社という組織において労務管理がなされていることは，アニメーター自身にとっても合理性をもっているのである。

　次章では，そのようなアニメーターが同じ場に集っていることがもつもう一つの合理性として，アニメーターとしての技能形成をしていく場が，さまざまな水準で用意されていることを，X 社における成員の活動の分析を通して示していく。

05 人材育成
技能形成の機会

1 問題設定

　本章では，X 社における人材育成の営み，具体的には技術的な指導がどのように
なされているのかについて分析を行う。人手不足が叫ばれているアニメ産業におい
て，人材育成は業界全体の課題となっている（練馬アニメーション 2016）。制作会社
における人材育成の多くは OJT（On the Job Training）の形で行われ，業界に参入し
たアニメーターたちは実際に放映される動画や原画などの仕事に携わりながら，技
能を形成していく。その過程では，すでに経験を有する者からの指導が受けられる
ことが重要になる。X 社におけるフィールドワークにおいても，下記でみていくよ
うに，社長や先輩アニメーターによって指導的な活動が行われていた。

　しかし，そうした光景はアニメ制作会社であればどこでもみられるものであると
は考えにくい。そもそも大方がフリーランサーとして出来高制で働くアニメーター
たちは，その労働契約上においてはそれが特別定められていない限りは他者の人材
育成に関わるインセンティブをもたない。それどころか，出来高制のもとで他者に
時間を割くことは，自らの収入を下げることにさえつながる。そうしたなかで，X
社における指導はどのようにしてなされているのか。本章ではこの点について分析
を行っていきたい。

　本章の構成は以下のとおりである。第 2 節では，社長と若手アニメーターのよう
な，制度的な関係に基づく指導におけるやりとりを分析する。第 3 節では，後輩が
先輩アニメーターに相談をしている場面について扱う。第 4 節では，取引先の元請
制作会社の監督が X 社に来訪した際に，X 社の若手アニメーターに対してなされ
た指導を扱う。第 5 節では，直接の指導ではないものの，他社に対して完成した原

画などを納品する場として設けられている「上り棚」が，若手アニメーターを中心に他者の原画などをみる学習の場としても機能していることを指摘する。

2 社長から若手への指導

　X社においては，「クリエーターを育てる」ことが主眼にある組織であるということを社長の小笠原自身がインタビューで述べており，実際に職場観察のなかでも若手アニメーターを中心的な対象としてしばしば指導がなされていた。小笠原へのインタビューのなかでは，こうした教え合いの関係はX社において自然に醸成されていたものであったが，ある時点で制度化して，持ち回りで新人の指導担当者を決める仕組みにしたという。筆者がフィールドワークを行った時期においては，城島・坂本・中田・渡辺・藤川の若手を中心に，一旦描き終えたカットをチェックしてもらうことがしばしばあった。本節では，そうした社長と若手アニメーターの技術的な指導について，フィールドノートのデータを中心に分析する。

　以下で中心的に分析するデータは，2017年1月中，すなわちフィールドワークの初期において記述されたものであり，データを理解するうえでは，その時点でのX社の状況について述べておく必要がある。2017年1月時点において，X社は他社が元請けを担っている作品Aの原画作業の一部を下請けとして請け負っており，その事業においてはX社の中堅スタッフが作画監督などとして起用されてY社に出向していた。とくに村田は，作品全体の原画のチェック・修正を行う総作画監督のポジションについていた。社内では小笠原社長が一部の話数の絵コンテとして，岩田がパート作画監督として起用されており，さらに原画作業を社内の若手スタッフが中心的に担っていた。社内で作品Aの原画作業を担当していたのは城島・小松・中田・坂本・渡辺であり，このうち中田・坂本・渡辺の3名はテレビアニメ作品における原画作業の経験が浅く，1月24日に進捗ホワイトボードで確認した時点では，アニメーション制作に関しては他の仕事は掛け持ちせずに作品Aの仕事のみに専念していた。

　この1月下旬では，作品Aの作業は9話（放送日は3月上旬）の原画作業が進行中だった。9話には上記の5名の原画マンが関わっているほか，岩田と武田がパート作画監督として参加していた。以下に分析するフィールドノート上に記述されたやりとりは，こうした組織的状況のもとでなされたものとなっている。

　このことをふまえたうえで，実際にどのようなことが指導されているのかについ

●フィールドノート 5-1

FN20170119：1703_1　小笠原さんから中田さんへの指導①

中田さんが小笠原さんに絵を見せにくる。
中田：こういう動きしたいんだけどこれ全部原画ですか（（アップで顔が映っているキャラクターが首を振る動きが描かれている））。
小笠原：首振るのに下向く必要ってなに？　ここから回ってもよくない？これがため息だったら別だけどね？　ケースバイケース。
中田：（（作画しているシーンについて））もうどうでもいいって言ってる。
小笠原：これ何？　（（動きについて））
中田：しゃべりながら振る。
小笠原：ああ中台詞でやるのか。するとテレビでしょこれ。全部原画になってカロリーが高くなっちゃう。

て以下でみていくことにしよう。

　1月19日17時03分に記録されたフィールドノート（フィールドノート5-1）では，中田が小笠原に自らが原画において実現しようとしている動きに関して相談をしている。このとき中田は作業中の小笠原に話しかけ，小笠原の机の上で中田が持ってきた原画を見ながら会話がなされた。

　まず中田は自らがラフとして描いた何枚かの絵を小笠原に見せながら，「これ全部原画ですか」と述べて自らが実現しようとしている動き（キャラクターの首振り）を，すべて原画としてレイアウトする必要があるかどうかを尋ねている。特定のカットにおける動きは絵コンテによって指示が与えられ，それをもとに原画マンが具体的にどのような動きにするかをレイアウト段階で設計する。そのレイアウトをもとに，第二原画で原画の清書がなされ，原画の間を埋める動きに関しては動画マンが作画する。ここで中田が尋ねているのは，こうした工程間分業に関する知識を前提としたうえで，中田が実現したい動きが，原画マンである中田自身が作画するべきものであるのか，それとも一部に関しては動画マンに委ねることが可能なものなのかについてである。

　それに対して，小笠原は原画でやるべきものであるかどうかには答えず，「首振るのに下向く必要ってなに？」と描かれた動きについて言及している。小笠原が指摘しているように，中田の原画に描かれた動きにおいては，キャラクターが真横に首を振るのではなく，下を向きながら首を振っていた。この点について小笠原は下を

向きながら首が振られる必要がないこと，ただしそのシーンでキャラクターがため息をついているのであれば必要といえることを指摘している。これは次以降の分析で示していくが，アニメーターの作画における動きの正しさは，そのシーンでのキャラクターの心情と合っているかどうか，また物理的な環境との関係で適切な動きであるかどうかなど，その描かれた状況に関する常識的知識をあてにすることがある。小笠原が「首を振るのに下向く必要ってなに？」と尋ねているのも，そのシーンにおいてキャラクターが下を向くことがどのように適切なのかを問うためなのである。

　それに対する中田の「もうどうでもいいって言ってる」という応答は，実際に小笠原の質問をシーンに関する適切性に関する問いとして聞いていることを示すものになっている。この応答はもちろんキャラクターが台詞として「もうどうでもいい」と言っていることを示しているが，そのようにキャラクターが投げやりな言葉を発していることを述べることで，下を向きながら首を振るという動作が適切であることが説明されている。

　だが小笠原は続けて「これ何？」と動きについて説明を求めている。この質問は，中田が述べたキャラクターの台詞の説明では，当初中田が相談としてもちかけた，当該のシーンは原画でやるべきかどうかという問いに答えられないことを示している。

　中田はそれに対して「しゃべりながら振る」と，先ほど述べた台詞が，首を振るという動きのなかで発せられることを述べている。小笠原はこれを聞いて，「中台詞」という用語で理解したことを示している。この用語は，原画と原画の間にキャラクターが話していることを示すための口パクを作画することを意味している。ここではまず，中田が構成しようとしているシーンを，「中台詞」という専門的な概念で捉えなおす，ということが行われている。この点はフィールドノート5-1だけからは十分に示すことはできないが，このような専門的な概念による再記述は，中田自身が今後そうした概念のもとに作業を行うことを可能にするための学習の契機にもなっているかもしれない。

　それに続く部分はさらに重要である。まず，中田の携わっている作品がテレビアニメであることが確認される。そのうえで，中田の提示する動きを実現するためにはすべて原画で描くことが必要であり，「カロリー」が高くなる，すなわち実現するための労力が非常に高い絵になってしまうことを説明している。ここにおいて中田が当初相談として持ちかけた問いが，当該のシーンを実現するためにはすべて原画

で行うしかないという形で回答される。以下でも見ていくが，ここでは小笠原は労力のかかる絵が当該のシーンでは適切ではないことについて述べている。その根拠の一つとなっているのが，中田が携わっている作品がテレビアニメであるということである。ここでのテレビアニメは，他には劇場アニメやOVAが含まれるような，アニメーションの放映形態の集合の一つとして提示されている。これらの集合のなかで，テレビアニメは最も納期が厳密に決まっており，必要以上に労力をかけることは好ましいことではない。

　このフィールドノートのあとのやりとりでは仮に中田の作画を実現するならという前提で技術的な指導がなされるが，最後には再度このシーンにおいてそれが適切でないことが述べられている（フィールドノート5-2）。

　小笠原はテレビアニメにおいて労力のかかる作画を行うことが「ギャラに見合って」おらず，「下にも迷惑がかかる」と述べ，それゆえに中田の提案した動きが「テレビシリーズでやる演技」ではないと指摘している。それと同時に，「ヤマだったら別」であるとも述べられている。ここではアニメーターとしてどのようなときに作画に労力をかけるべきであるのか，その基準が中田に対して示されている。すなわち得られる報酬に見合った労力であるのか，そして凝った作画を行うと後の工程の制作者にも負荷がかかるが，それを加味しても労力をかけるべきシーンであるといえるのか。小笠原は当該シーンを原画としてやるべきかどうかという技術的な問題について教えると同時に，原画マンとしてどのようなときに作画に労力を割くべきであり，どういうときには労力を割くべきではないかという，原画マンとしての適切な振る舞いについての教示も行っているのである。

　最後にも小笠原は「激情」を示すのであればキャラクターの顔だけではなく「肩口」まで入れた方が表現がしやすいと述べて技術的な指導をしつつ，かつそのシーンが比較的長いシーンであることに言及して，労力の観点からここでは採用するべ

●フィールドノート5-2

FN20170119：1703_2　小笠原さんから中田さんへの指導②

小笠原：ギャラに見合ってない。下にも迷惑がかかる。のでテレビシリーズでやる演技ではない。ヤマだったら別だけど。肩口まで入れた方が激情とかはやりやすい。1秒とかだったらいいけど，こんだけ長くなるとね。
中田：わかりました。ありがとうございます。

きではないことをほのめかしている。このように作画における指導の場面においては，当該のシーンを実現するためにはどのようなレイアウトを取るかなどの技術的な知識に関する指導と，そうした技術を実際の制作工程にかかる労力との兼ね合いで採用するべきかどうかという制作工程に関わる知識の両方が互いに関連づけられながら伝えられる。このように単に作画の技術ではなく制作工程に関する知識に習熟することが求められるために，アニメ業界においては OJT という形で人材育成を行っていくことが主流になっているのだと考えられる。

　次に，技術と制作工程に関する知識が結びつけられるもう一つの事例について分析したい。先ほどの中田の事例においては，描かれるべきシーンは「キャラクターが下を向きながら「どうでもいい」という台詞を述べつつ首を振る」という動きであり，この動き自体の適切性が問われることはなかった。しかし，作画するシーンによっては，そもそも描かれた動きが妥当といえるのかどうかということ自体が争われることがある。そうした場合，どのような基準を用いてそこで描かれた動きが適切であると判断するのか。以下ではこの問いが密接にかかわるフィールドノートにおける記録をみてみたい。

　フィールドノート 5-3 は，2017 年 1 月 21 日 20 時 38 分に記述されたものである。作品 A の原画作業を行っていた若手の坂本が，小笠原にカットのチェックを依頼して，それに対して小笠原が指導を行っている場面が記述されている。中田と同様，坂本はカットを小笠原のところに持って行き，小笠原の机で原画が参照されながら，以下のようなやりとりがなされた。

　作画がなされているシーンは，飛来したヘリコプターから降りた 4 人のキャラク

●フィールドノート 5-3

FN20170121：2038_1　小笠原さんから坂本さんへの指導①

小笠原：描かなきゃ。見てみればわかるけどヘリコプターにあたりそう。危ないわ。あとわりとカメラが近いからね。これコンテどうなってる？
((坂本さん絵コンテを差し出す。小笠原さん絵コンテを見る))
小笠原：特に位置関係は出てないね。ああでもステージ上にいたのかヘリがね。じゃあ真上。
((議論になっているシーンがどういうシーンかの確認。坂本さんによると 8 話からの引きと連続している部分である模様))

ターが横に並び，そのあとでヘリコプターがキャラクターを残して離陸するという
シーンである．指導においてはキャラクターとヘリコプターの位置関係が問題とな
るが，フィールドノート5-3 はまずキャラクターが立っているステージが描かれて
いないことを確認したところからはじまる．

　まず小笠原がステージに関する部分を「描かなきゃ」と述べたうえで，キャラク
ターがヘリコプターに当たりそうな位置に描かれていることを指摘する．「危ない」
と述べられているのは，キャラクターがヘリコプターとぶつかるような位置にある
ということであり，こうした表現によってヘリコプターとキャラクターの位置関係
が適切ではないことを説明している．さらに，「カメラが近い」と述べることによっ
て，坂本のレイアウトがよりキャラクターたちをアップするように寄った形で描か
れていることを指摘する．キャラクターとヘリコプターの位置関係が不適切である
ことを述べた「あと」にこのことを指摘していることから，寄った形でのレイアウ
トがその不適切さに関わっていることがほのめかされているとみることができるが，
ここでは小笠原は明示的なコメントはせず，当該カットにおける絵コンテでどのよ
うな指示があるのかについて確認している．

　この後小笠原は坂本から手渡された絵コンテを見て，絵コンテ上ではキャラク
ターとヘリコプターの位置関係についてとくに指示がないこと，そしてカット上で
は飛んでいるヘリコプターが，もともと「ステージ上にいた」ことを確認している．
これによって，飛んでいるヘリコプターが，ただそこに飛んでいるのでも，着陸す
るのでもなく，まさに離陸をしているものとして見るべきものであることが確認さ
れる．この後のやりとりは会話の形では記述できていないが，坂本が当該のシーン
について説明をし，前話から連続しているシーンであることを説明している．前話
のエンディングにおいては，4 人のキャラクターはヘリコプターに乗って登場し，
そこから 4 人が降りて，坂本が作画しようとしている離陸のシーンがある．

　ここではまずヘリコプターの位置が「離陸」という活動の最中にあるものとして
みられること，そして 4 人がつい先ほどヘリコプターから降りたばかりであるため，
4 人とヘリコプターの位置は比較的近い関係にあるべきものとしてみられることが
重要である．

　このようにしてそのシーンにおいてなされている活動が確認されることによって，
そのシーンにおける各々の適切な動きが定められることになる．それを以下でみて
いくが，小笠原が先に絵コンテにおける指示を確認していたことには言及しておく
必要がある．つまり，絵コンテ上でキャラクターとヘリコプターの位置関係があら

●フィールドノート 5-4

FN20170121：2038_2　小笠原さんから坂本さんへの指導②

小笠原：これヘリコプターが離れていくのを見せるカットだから4人が見
えなくてもいい。少し縮小して見るといい。あと絵が固くて。なびきを
もっと大胆にしてもいい。ヘリコプターの風って相当だし，バッサバサで
いい。髪の動きも，最初からヘリはいるんだから最初からボサボサでいい。
絵を描くとこに意識がいってて，おもしろく動かす方に意識がいってない。
坂本：思ったより大胆に描いても大胆になってない。
小笠原：緊張してる絵になってる。最初だからしょうがないけど。
（（カットをチェックしていく小笠原さん））

かじめ指定されていれば，原則的には原画マンはそれに従って作画を行うべきとい
うことになる。だが，この事例ではそうした指示がないため，そのシーンにおいて
なされている活動がどのようなものであるのかが，作画の適切性を担保するための
基準となっている[1]。

　フィールドノート 5-3 のやりとりによって作画されているシーンがヘリコプター
の離陸の場面として見るべきものであることが確認された。フィールドノート 5-4
はそれに続くやりとりの記述である。

　まず，離陸の場面であるということから，そこに描かれる動きが「ヘリコプター
が離れていく」動きであることになり，それにより4人のキャラクターが必ずしも
描かれていなくてもよいということが述べられる。さらに「少し縮小して見るとい
い」と指摘されるが，これは先述のやりとりで「カメラが近い」と小笠原自身が述
べていたことに対応して，よりカメラを引いた形で描かれる方が，ヘリコプターが

---

1) もちろんこのことは，つねに絵コンテの指示が優先されるということまでは意味しない。
　現に，3月1日には中田が小笠原の机にメモ書きとともに自らが作画したカットを置い
　ており，そのメモ書きには絵コンテの絵に合わせるべきなのか，パース（遠近法）の観
　点で正しく描かれているべきなのか，レイアウトが「かっちりハマる」べきなのかで悩
　んでいるのでアドバイスがほしいと記されていた（FN20170301：0120）。これは実際
　に絵コンテの指示通りだと問題がある可能性を予期したうえでなされる助言の求めで
　ある。
　ただ，小笠原さんが先に絵コンテの指示をチェックしていることは，まずもってはどの
　ような指示が与えられているかを作画の適切性を判断する基準としようとしていること
　を示しているのは確かであろう。

離陸していく様子を描くうえで有効であることを助言していると思われる。

　これらのことが指摘されたあと，「絵が固くて」と述べ，具体的な絵の描かれ方に指導の焦点が移行する。それまではそのシーンがいかなるシーンかを参照して，そもそも何が描かれているべきか，それらの位置関係はどうあるべきか，それらはどのような角度で，どれくらいの近さ／遠さから描かれるべきか（もしくはどこに「カメラ」を置くか）という，レイアウトに関わる概念のもとコメントがされていたといえるが，これらが定まったところで，そこに描かれている個々のキャラクターや物の詳細な描かれ方も決まることになる。作画についての指導をしている以上それが絵に関するものであることは当然であるにもかかわらず，そこであえて「絵」をマークした仕方でコメントをするという行為は，指導の焦点がレイアウトから各々の描かれ方の詳細に移行するための指し手としてここでは用いられている。

　そこで具体的に言及されるのは，キャラクターの髪のなびき方である。小笠原はキャラクターの髪のなびき方を「もっと大胆にしてもいい」と述べる。その理由になるのが，やはりそのシーンがヘリコプターの離陸であるということである。つまりヘリコプターは離陸してすでに飛行している状態にあるため，その直下では非常に強い風が吹いているべきであり，それゆえキャラクターの髪のなびき方も大きくなるべき，というようにである。このことを小笠原は髪のなびきが「バッサバサでいい」という仕方で示している。さらに髪のなびきが開始される点において，ヘリコプターが最初から映っているため，最初からキャラクターの髪が乱れた状態で描かれるべきであることが述べられている。これらのコメントはキャラクターの髪という，そこに描かれるべき人物や物の詳細について，ヘリコプターの離陸という記述のもとに描かれ方を示すという手続きになっている。

　これらの描かれ方が示されたあと，坂本の一連の作画について「絵を描くとこに意識がいってて，おもしろく動かす方に意識がいってない」という仕方で定式化がなされる。こう述べることで，一枚一枚の絵を描くことに志向するあまり，その一枚一枚がそのシーンに適切な動きという観点で描かれているように見えないということを示して，坂本に対してシーンに対して適切な動きという観点で作画を行うべきであることをほのめかしている。

　坂本は，「思ったより大胆に描いても大胆になってない」と応答している。これは自らの作画の不十分さを認めつつも，ヘリコプターの離陸のシーンにおいてキャラクターの髪の動きが大きく描かれることそれ自体は理解していたことを示す手続きになっている。小笠原は坂本の絵を「緊張してる絵」であると形容するが，坂本が

テレビアニメの原画作業には初めて参加していることを理由としてそれもしかたないことだと受け入れている。

　ここで重要になるのは，上記のような仕方で指導を行っている小笠原は，実際の制作工程上では坂本に対して指示を与える立場にはないということである。小笠原は坂本が上記で相談した作品Aの話数においては，演出担当でも絵コンテ担当でも作画監督でもない。制度上は，これらの担当者がその場における正しい作画について管理しているはずであるが，その制度上にいない小笠原によって，あくまでそのシーンにおける正しい作画があることは前提とされながら，指導がなされた。この際に正しい作画を担保するものとして参照されていたのが，ヘリコプターの離陸というような，そのシーンを支える記述である。この記述のもとに，ヘリコプターとキャラクターの位置関係や，キャラクターの髪のなびき方などの適切なあり方が示されていた。この点で，アニメーターの能力として，単に脳裏に描いた光景を紙やタブレットの上で実現するという意味で絵が上手いということだけではなく，あらゆる場面において適切な人と物の位置関係や，それに関する動きについての常識的な知識をどれだけ蓄積しているかが重要になってくるのだと思われる。

　とはいえ，そのようなアニメーターが各々もつ知識に依存する部分を少なくするために絵コンテやキャラクターデザインによる指示や設定が与えられていることも事実である。フィールドノート5-5はヘリコプターの離陸とは別のカットにおいて，

●フィールドノート5-5

FN20170121：2038_3　小笠原さんから坂本さんへの指導③

（（小笠原さん原画を見る））
小笠原：15カットのコンテみして。
（（坂本さんコンテを持ってくる。小笠原さんコンテを見る））
小笠原：これ（（おそらくキャラのどれか））どっち向いているの？　真っ正面でいいの？
坂本：はい。
小笠原：じゃあいいや。ちょっとコンテがこっち向いてるから。まあ演出が気になるならあとで「こっち向けてください」って言われるかもしれない。まあそれはしょうがないので演出さんに任せましょう。
（（相談終わり））

あるキャラクターの顔の向きについて言及がなされている部分である。このカットで描かれたシーンについて筆者は確認できていないが，指導で伝えられる内容として重要なものが含まれたデータになっている。

　小笠原はチェックしているカットの番号（15 カット）を指示して，その絵コンテを確認したうえで，坂本が作画したキャラクターの顔の向きが正面を向いているが，それで問題がないのかを確認している。坂本は「はい」と返事をして問題ないことを伝えている。

　ここではとくにその顔の向きの把握が適切であるかどうかについて詳細なコメントがなされず，「じゃあいいや」と一旦保留したうえで，絵コンテに示されたキャラが正面よりも少し視線をずらしたように描かれていることを指摘して，顔の向きを問題にしたことを説明している。

　そのうえで，その顔の向きは後で演出担当者に修正される可能性があることを指摘するが，これに関してはすぐさま修正するのではなく，「演出さんに任せましょう」という形で，演出担当者の判断を待つことが促されている。この描かれたシーンについては確認ができていないが，たとえばヘリコプターの離陸の例では作画にその場で修正が促されていたのに対して，ここでは演出の判断を委ねるという選択がなされていることを鑑みると，このシーンにおいてはそこでなされるべき動きを規定するような，シーンを構成する明確な記述がなく，かつ絵コンテ上にも明確な形では記載がなかったのだと思われる。いずれにしても，ここでは制作工程上のチェック担当者に判断を委ねる選択が存在し，当該のカットにおいてはその選択がとられざるをえないことが，小笠原から坂本に対して示されている。これは，テレビアニメ制作においてかけてもよい労力について教えるのと同様に，実際に制作工程の一部として，一人のアニメーターが負うべき職務の範囲についても若手に対して教えるやり方になっているといえる。

　ここまでで，社長と若手アニメーターの間でなされた指導的なやりとりについて分析してきた。すでに指摘したが，重要なのはここで挙げた事例において社長は制作工程上では指示を与える立場ではないということである。そのため，中田や坂本が小笠原に対してもちかけた原画のチェックの依頼は，あくまで X 社における制度的な人材育成の一環として行われたものであるといえる。

　このように，指導的な関係を制度として準備するやり方は，人材育成の観点では重要である。個々がフリーランス的な働き方をすることの多いアニメーターという職業においては，同じスタジオにいても別の作品，別の話数の作業をしていること

が多々あり，かつ他者についてアドバイスなどをすることは原則的にはその職務の
なかに含まれてはいない[2]。現に1月19日・21日の時点では小笠原は作品Aの別
の話数の絵コンテの作業を進めており，指導において何度も絵コンテを確認してい
たことからわかるように，中田や坂本が担当した話数についての内容を把握しては
いない。このような状況においては，そもそも自らの作業に関して他者に相談をも
ちかけるということ自体が，しばしば困難な課題として立ち現れてくる。実際，中
田と坂本のチェックの依頼は，小笠原自身の作業を一旦中断する形でなされており，
かついずれも小笠原の作画机の上で行われている。作画机は個人個人の作業が完結す
る空間としてデザインされており，個々の作品の作業を行ううえではたとえそれが
遠く離れた他社の作品の仕事であろうとも，その机の上で協働が達成されることは
すでに第4章にて述べた。この点で，自らの作業についての相談は，相談相手の作
業への介入を伴っている。

　しかしその一方で，中田も坂本も小笠原の机に赴いて指導を受けていることは，
こうした相談相手の作業への介入を最小化する点において重要である。論理的には，
中田も坂本も，小笠原を自席に呼び，自席に来てもらって指導を受けるということ
も可能だったはずである。そこで小笠原の席に赴くことは，少なくとも小笠原に移
動をさせないという点においては，小笠原の作業の中断を最小化することに志向し
た活動であるといえる。つまり，席に赴くことによって小笠原は自席で指導を行う
ことができ，それによって移動があった場合よりも，指導が終わったあとにすぐに
もとの作業に復帰することが可能になる。

　これは些細なことに思われるかもしれないが，こうした活動は，個々のアニメー
ターの作画机という空間が個人的なものとしての意味を帯びることに寄与する点で
非常に重要である。このような相手の作画机に赴くという活動があるからこそ，
個々の作画机が個人的空間として理解できるのである。そしてこれは相談相手の作
業中断を少なくするという合理的特徴をもっている。つまり，中田や坂本が指導を
仰ぎに行く活動は，小笠原の作画机がもつ個人的空間としての規範的意味を維持し，
それを通して小笠原自身の作業進行に配慮するという活動になっているのである。

　このように本節では指導を相手の作画机に受けにいくという活動が，個人的空間
としての作画机の規範的意味を維持する活動にもなっており，それによって指導す

2）このことの裏返しとして，「若手の面倒をみる」ことを契約のなかに含み込むことが，報
　酬をより高額にするための条件として用いられることがある（第4章第2節）。

る際の作業中断を短くすることに寄与していることを示した。次節では，このような特徴が，社長と若手アニメーターという関係以外でもみられることについて分析を行っていく。

3　先輩から後輩への指導

　本節では，社長と若手以外の関係においてなされた指導的なやりとりや仕事上の相談について分析を行っていく。X 社では，社長と若手以外にも，先輩から後輩へなど，同僚同士での指導や相談がなされていた。これらの指導や相談において何がなされていたのか，それらはどのようにして可能になっていたのかについて以下でみていくこととする。

　前節では社長による指導的なやりとりが，若手が相談のあるカットをもって社長の机に赴き，社長の作画机の上で指導的なやりとりがなされていることを確認していた。このように相談のある者が相談相手の机に赴くということは，相談相手が社長ではない場合でもたびたびみられる。フィールドノート 5-6 は作品 A の原画作業をしていた坂本が，同作品・同話数のパート作画監督をしている岩田に対して相談をしている場面について記されたものである。

　この事例では，二人は同作品・同話数に従事していると同時に，作画監督と原画マンという，制作工程上チェックをする／受ける関係にもあり，二人のやりとりは指導という活動として理解できるものである。また，前節でも言及されたように，坂本にとってはこの作品 A の仕事が原画マンとしてはじめて商業作品に関わる仕事でもある。

　これらの両者の関係を確認したうえで，まずは具体的に指導として言及されている内容について確認していこう。岩田は坂本が描いた原画をチェックしたうえで，

●フィールドノート 5-6

FN20170119：1512　岩田さんから坂本さんへの指導

坂本さんが岩田さんに相談をしている。坂本さんが描いた原画を岩田さんがチェックし，「キャラがフラットになっちゃってんだよね，おかしくないっちゃないんだけど。この子なんかの顔の角度はいいと思う。この子は違うけど」と指摘をしていく。

「キャラがフラット」になっていることを指摘している。これは「おかしくないっちゃない」と留保をつけられ，「この子なんかの顔の角度はいい」とコメントがなされる。さらに別のキャラクターを指して「この子は違う」と指摘される。ここでは，カット内に描かれている複数のキャラクターの顔の角度が問題にされており，その各々の角度についてチェックが進められている。

　このフィールドノートの抜粋のみからは，キャラクターの顔の角度の適切さがどのようにして定まっているのかについて明らかにすることはできない。ここでも指導がなされた場所に着目しながら分析をしていこう。

　この事例においては，坂本はわざわざ自席を立つというようなことをしていない。というのも，坂本と岩田は席が隣同士で，一方が席を立って一方の席のところに移動するような過程を経なくても，作画の内容に関する相談が開始可能になっているからである。いわば，この両者が隣席に配置されていることで，個人的空間への配慮という問題は，席の移動を経る場合よりは解決しやすいものになっている。ただここで解決しやすいということで指摘したいのは，あくまで席を移動するという必要がないということであって，隣席であるからといって個人的空間への配慮という問題がなくなるわけではないことである。坂本は上記の例で席を立ってはいないが，相談が終わったあとは自らの作画机に正対する形で身体的配置を変更している。この事例においても，指導を受けるという一連の活動は，作画机が個人的空間としての意味を帯びることに寄与しているといえる。

　とはいえ，両者が隣席に配置されていることが指導の機会を得やすくするうえで重要であること，それゆえX社の人材育成の実践において重要であることは指摘できるだろう。X社では，まさに坂本と岩田の事例が示しているように，若手が原画を担当する作品において，同作品・同話数の作画監督を中堅・ベテランに任せる形で受注することが行われている。この取り組みは，相談を依頼することを可能にする資源を制度的に準備するという点で，X社の人材育成において重要な実践であるといえる。その一方で，坂本と岩田が隣席であることは，これ自体は偶発的な事態だと理解するべきである。というのも，2017年1月から4月という3ヶ月の間だけでも社内で作業されている作品はめまぐるしく変わるが，そのような場合に，X社ではわざわざアニメーターの座席を移動させるというようなことは行われていない。少なくとも筆者が観察した期間において，各々の座席は受注している仕事が変化しようとも固定されている状態にあった。この点では，人材育成の取り組みそれ自体も，個々のアニメーターの個人的空間への配慮のなかで行われているとみるこ

ともできるだろう。

　こうした人材育成上の意義を確認したうえで，もう一つの事例を扱う。前節で，作画の正しさは，描かれるシーンがどのようなシーンであるかに依存して決定されることについて述べた。以下はそうした作画の適切性に関する論点が示されていると同時に，ここまで扱った事例よりもアニメーターが複雑な移動をするデータである。

　フィールドノート 5-7 の抜粋は，2月8日の深夜3時50分に小松と岩田との間でなされたやりとりの記述である。この日は0時30分の時点でスタジオ内に小松・岩田の他には栗原と坂本の合計4名がいたのみで，3時50分の時点では坂本が応接室側テーブルの椅子を並べて横になって寝ており，作画机についていたのは残りの3名であった。そうした状況のもとで，小松は絵コンテと自らが描いた原画をもって岩田の席に赴き，それを受け取った岩田は原画をチェックしていた。チェックしている間，小松は自席にもどっていた。15分ほど経ったあと，岩田は小松の席に原画を返しにきた。フィールドノート 5-7 はそこでなされたやりとりに関する記述である。

●フィールドノート 5-7

FN20170208：0350　岩田さんから小松さんへの指導

二人のキャラクターが歩いている絵で，片方のキャラが杖をもっているが，杖の位置がもう片方のキャラの腹部に当たってしまう位置にあることを（（岩田さんが））指摘する。
下書きで別々にキャラを描くと起きてしまいがちなミスらしい（直す方も気付かないときがある）。顔の大きさが違ってしまったりとかもある。
また，杖は比較的倒された形でキャラは持っている（地面に対して平行に近い形）が，そのキャラクターは背の低い女の子のキャラで，そうしたキャラが腕に負担のかかる形で杖を持っているのは違和感があることも岩田さんは指摘した。
（（そばで見ていた松永に対して））岩田さんによると，X社以外の会社ではこのように先輩が後輩に教えるということがなくなっているという。X社から別の会社に移った友人から聞いた話では，若手が聞きに行くと，「なんでそんなこともわかんねえんだ」とベテランが言うらしい。岩田さんは「教えてあげればいいのにね，それで自分が助かることもあるのに」と述べた。

　岩田がチェックをしていた原画は，データにあるとおり，二人のキャラクターが並んで歩いている絵で，片方のキャラクターが長い杖を持っている。補足すると，二人のキャラクターは一枚の紙に並べて描いてあるのではなく，別々の原画用紙にそれぞれ片方のキャラクターが描かれ，それらを重ねることによって実現されるべき絵になるように作画がなされていた[3]。これらを別々に描いた結果，片方のキャラクターが持っている長い杖が，並んで歩いているもう一方のキャラクターの腹部に当たる位置にあり，不自然であることを岩田が指摘した。こうしたミスは別々にキャラを描くと起きがちであり，作画監督などの修正する側の者も気づかないことがあるという。よく起こるミスとして，二人のキャラクターの顔の大きさが異なってしまうことなども挙げられている。

　この指導では，とくに絵コンテなどにおいてどのような指示がなされているのかが参照されることなく，シーンにおいてなされている記述にのみ依拠して作画の適切性が判断されている。その記述の少なくとも一つが，ここではキャラクターの「歩行」である。ここで参照されているのは，杖が腹部に当たる位置にあることによって，それがキャラクターが歩行するうえでの障害物になるという，常識的知識である。この点は前節で分析した社長と若手アニメーターのやりとりにおいてもみられた指導のされ方である。

　さらに興味深いのは，次の部分である。杖を持ったキャラクターは長い杖を，地面に対して平行に近い形に倒すようにして持っている。この杖を持ったキャラクターは背の低い女の子のキャラクターであり，そのキャラクターが杖を腕に大きな負担のかかる形で持ち歩いていることに違和感があると岩田は指摘している。この指摘は，「歩行」というシーンの記述とは直接には関係しない。というのも背の低い女の子が長い杖を腕に負担のかかる形で持っていることが問題にされているのであって，この問題はキャラクターが歩行していてもしていなくても，違和感として指摘できるものだからである。

　それではその違和感の指摘はどのようにして可能になっているのか。ここでも常識的知識が関わるが，少なくとも二つの知識が関わっていると考えられる。一つは杖のような（おそらくはある程度の重さがあり，かつ）長いものを地面に平行に近い形で持つとき，一般に持ち手が感じる重量は，少なくとも同じ杖を立てて持っているよりは大きくなるだろうというものである。これはキャラクターが誰であろうと，

---

3)「別セル」という作画手法である。

人間一般に関する知識であるといえる。もう一つは描かれているキャラクターが「背の低い女の子」であるということだ。長い杖を地面に平行に近い形で持つことは人間一般に負担が想定できるが、「背の低い女の子」という、腕力が強くないであろうことがとりわけ想定できるキャラクターについてこの負担が言及されることで、いっそう杖の持ち方が不自然なものとして理解可能になる。つまりここでは、シーンの構成とはさしあたり関係なく、人間についての常識的知識が参照され、その参照点から作画の適切性が判断されているのである。岩田の指導においてなされているのは、このような常識的知識の一端について小松に教えるということなのである。

　さらに、この事例は岩田自身が筆者に対して説明しているように先輩から後輩への指導となっているが、岩田は筆者に対してそのような指導が他の企業ではあまりみられないらしいこと、そして先輩から後輩に対して指導することは、自分自身を助けることでもあるのだと説明している。

　この自分自身が助かるという説明は、フィールドノート上では明示されていないが、自らが作画監督を担当した際に、自らの担当箇所に実力のある原画マンが起用されることによって、作画監督としてのチェック業務の負担が軽減されることなどを意味していると思われる。実際X社ではまとめて他社の仕事を受注する際、中堅・ベテランを作画監督等として起用し、そのもとに若手の原画マンを配置するという取り組みを行っている。これによって後輩に対して技能形成の場を提供し、そこで形成された技能を先輩の仕事のもとでいかしてもらう、という仕組みが形成されている。

　さらに、小松と岩田のやりとりの空間的編成についても言及しておこう。このやりとりにおいては、互いが席を移動しながらチェックと指導がなされている。まず小松が岩田の席に赴き、小松は絵コンテと原画を渡して席に戻る。岩田は15分ほど自席で小松の原画をチェックする。チェックが終わったあと、岩田が小松の席に赴き、そこで指導を行う。ここではそれぞれ相手に対して用件をもつ側が、相手の席に移動し、その場でチェックの依頼や指導などの用件を済ませている。とりわけ重要なのは、指導を行う岩田が、一度席に戻った小松の席まで移動し、そこで話をしていることである。つまり、他の事例では指導を受ける側が指導を与える側の作画机に移動していたが、ここでなされているのはあくまで用件をもった者がその用件の相手のところに移動するということであって、作画机についている他者を移動させないということなのである。これもまた、用件をもった者が用件のある相手の机に移動するという活動を通してそれぞれの作画机の個人的空間としての規範的意

味を維持する活動になっている。この事例は，小松と岩田が相互にそれを行ったことにより，両者が相互の机を移動するという活動が生じたのである。つまり，これも一つの個人的空間への配慮をなす活動のうえになされており，それを前提にして指導という活動がなされているのだ。

　本節において議論してきた点をまとめよう。X社において社長と若手以外でなされる指導においても，アニメーターたちはまずもって指導を受ける相手の机に赴くことを行っており，これもまた作画机の個人的空間としての規範的意味を維持する活動となっていることが指摘できた。さらに指導をする側と受ける側が相互に移動する事例もあったが，これは用件のある相手の机に移動するという活動であり，これも個人的空間に志向したものであることを明らかにした。とりわけ後者の事例においては，先輩の側から後輩の机に移動しており，相手の机に移動するという活動が，社長／スタッフや先輩／後輩といったような組織における非対称的な権力関係に根差したようなものではないことが示されたことが重要である。作画机を個人的空間として維持することへの志向は，組織内のどのような立場の成員であれ，つねに有しているとみることができるのである。

　第2節と本節で扱ってきたのは，総じてX社という組織内の成員のなかでなされた指導である。これらはX社における人材育成の中核をなしているといえるが，フィールドワークのなかでは組織外の者から若手アニメーターが指導を受けるという場面もみられた。それはフィールドワーク中には一度しか見られなかった場面であるが，X社がどのような協働のなかに埋め込まれているかをよく示す事例であると同時に，若手にとっての技能形成の機会にもなっていた。次節ではそれについてみていこう。

4　OB による若手アニメーターへの偶発的な指導

　本節では，3ヶ月のフィールドワークのなかで一度だけ観察された，他社のスタッフがX社の若手アニメーターに対して指導を行った場面について分析を行っていく。

　その場面の概要を説明すると以下のようになる。1月31日の22時ごろ，作品Aの監督（以下では「監督」と表記する）が制作進行とともにX社に来訪した。監督はX社のOBであり，もともとX社に所属していたが，2017年1月の時点では作品Aを制作している元請制作会社に移籍しており，そこで作品Aの監督を務めてい

た。そのためか来訪すると小笠原に挨拶をしており，また通りかかった石原に「久しぶり」と声をかけられていた。監督は小笠原と作品 A の進行状況について少し話したあと，中田に声をかけ，応接室側テーブルに移動し，両者が正対する形で座り，それから 1 時間以上の指導的な会話がなされた。このとき監督が応接室に背を向けて，中田が応接室を正面に見る形で座っていた。制作進行は中田の後ろ，コピー機の前あたりに立って二人の会話を聞いていた（フィールドノート 5-8）。

　　まずはその指導の内容において何が伝えられているのかを分析していこう。監督はまず「絵を描くだけじゃなくて内容を伝えていくのがアニメーターの役割」だと述べている。つまり，実際の制作工程上でアニメーターが絵を描く際に，そのなかでシーンの内容を伝えられる絵を作画することが役割であるとしている。この点はここまで議論してきたシーンの記述と作画の適切性の関係についての議論とも重なる。それと同時に，中田の作画が内容を伝えていくことにおいて不十分であり，絵を描くことに留まってしまっていることを示す非難にもなっている。

　　これを受けて，「内容を伝える」ということにおいて，具体的にキャラクターの気持ちについて中田が「もやもや」という気持ちで描いたのか，「どきどき」という気持ちで描いたのかという問いかけがなされる。この問いかけへの応答はフィールドノートに記録されていないが，ここではキャラクターの内面を絵のうえで示すこと

●フィールドノート 5-8

FN20170131：2202_1　作品 A 監督と中田さんの応接室側テーブルにおける指導①

応接室側テーブルで監督と中田さんが，中田さんの原画について話している。一緒に来た制作進行は座らず，監督の後ろに立っている。監督は X 社の OB で，現在は別の制作会社に所属している。
監督：絵描くだけじゃなくて内容を伝えていくというのがアニメーターの役割。（（キャラの感情について））どれくらいの気持ちで描こうとしてたか。もやもやなのか，どきどきなのか。

そのあと監督は頭と身体の関係，重心の位置などを工夫するとわかりやすい絵になるとアドバイスする。顔の作画の話になり，中田さんが「アゴを出すのはどんなときですか？」と尋ねると，監督は「何があると思う？　たとえばおちょくってるとき，あと疲れたりしているとき」

が、「内容を伝える」という作業の一端であることが示されている。そしてこのことを遂行するためには、たとえば「頭と身体の関係、重心の位置」を工夫することが有効であることを示している。

　そのあと指導は顔の作画についての話になる。中田が「アゴを出すのはどんなときですか？」と尋ねると、監督は「何があると思う？」とさしあたり中田に考えるように促している。最終的に監督が自ら答えているが、このように問いかけが返されることは、中田に自ら考える責任の一端があることを示していると思われる。監督は、「おちょくってるとき」「疲れてるとき」など、人がアゴを出すのに適切な行為や状態の候補を挙げている。このような指導は、作画の適切性に関するものとして、前節までで議論してきたものと重なるものといえるだろう。

　この意味では同じ制作工程上にある者が指導しても、そうではないものが指導しても、そこで用いられる基準には違いがないといえる。しかしそうであるなら、わざわざ監督が他社を訪れて若手に指導をすることにはどのような意味があるのか。この点がわかるのが上記のやりとりに続く以下の部分である（フィールドノート5-9）。

　監督は、中田の担当部分に作画監督によるチェックが手配できないということを伝えている。この1月31日において、作品Aの制作スケジュールは切迫した状況にあり、このことはX社内でもしばしば雑談のなかで言及されていた。これに対して監督自身は「自分の力で絵を描く機会だと思ってほしい」ということを伝えてはいるが、制作スケジュール上の事情が伝えられることを通して、この場が指導の場でもあると同時に原画マンに対する報告の場ともなっていることがわかる。この点は上記のデータから十分にいうことはできないが、制作スケジュールの問題で作画監督が準備できないという報告とともに中田への指導がなされることは、そうし

●フィールドノート5-9

FN20170131：2202_2　作品A監督と中田さんの応接室側テーブルにおける指導②

監督は、中田さんの作画している部分については作監が用意できないので、キャラ表を良く見て自分の力で絵を描くという機会だと思ってほしいことを伝える。（中略）監督から見て中田さんは絵描きとしては「線が走る人」で、それは大変よいことだが、どうすれば自分の絵をシナリオに乗せていくかを考えてもらいたいという。

たチェック担当者の不在の埋め合わせとして捉えることもできるかもしれない。少なくともこれらの事情は，監督が中田に指導的な時間を取ることの正当な理由の一つにはなっているだろう。

　いずれにしても，このように元請制作会社側の事情が知らされながら作画の適切性についての指導がなされることは，この場面の特徴の一つをなしている。この事例が前節までで扱ったものと大きく異なるのは，OB であるとはいえ社外の監督と，社内の原画マンが会話していること，つまり組織横断的なやりとりがなされているということである[4]。

　これに加えて，X 社の空間的編成という観点からも上記の事例について分析する。監督と中田のやりとりは，応接室側テーブルでなされている。指導的な活動がこの場で行われることは，この事例以外には例がない。それも中田は最初から応接室側テーブルにいたのではなく，あくまで自席で自らの作業をしていた。その他の事例では用件のある相手の机で指導や相談等の活動がなされていたが，ここで中田が（おそらくは呼び出される形で）応接室側テーブルで指導を受けていることは，何を意味しているのか。

　ここで再度考慮するべきなのは，監督があくまで社外の人間であるということである。そしてこのことは，監督が作画机ではなく応接室側テーブルに座って話をしていること，このことにおいて達成される。つまり，監督と中田が応接室側テーブルにおいて話していることによって，そのやりとりが，社内者と社外者のやりとりであることが理解可能になり，これによって作画机が各々の社内の成員の個人的空間であることも同時に達成されるのである。監督と中田のやりとりもまた，X 社内の空間的編成のもとでなされたものなのである。

　本節では，社外の監督が社内の若手に対して指導を行う場面のフィールドノートから，指導でなされる内容としては前節までで扱ったものと差異がないが，制作ス

4）このように同じ作品に従事している関係においては，社外の者とであっても指導関係が成立することは，現代の商業アニメーションで放映期間が短期化していることをふまえると重要である。なぜなら放映期間が短期化してすぐに作品が終わってしまうことは，ここで扱ったような指導がなされる可能性を低くするからである。また，これは本節の事例においてまったく偶然的なことであったが，監督が OB であり，あらかじめ X 社内の成員との紐帯が形成されていることも重要であろう。監督が請負先の会社を訪れることは，それにまったく意味がないわけではないものの職務上必要な業務ということはない。監督が OB であることは，制作スケジュールが切迫していたなどの事情とも合わせて，監督が X 社に来てもよい理由の一つになっていただろう。

ケジュール上の進行状況という問題が独自なものとして伝えられること，そしてこれも X 社の空間的編成の達成と関わりながらなされていることを指摘した。

　ここまで議論してきたのは，技能形成の機会が指導や相談としてなされている場面におけるやりとり，そして空間的編成であった。これらは X 社の人材育成の実践において重要な部分を占めているといえる。しかし，空間的編成に着目していくと，X 社ではそのような相互行為がなされなくても技能形成の機会が用意されている。次節ではそれについて議論し，本章の分析を閉じたいと思う。

5 引き渡し／学習の場としての上り棚

　本節では，X 社の空間的編成において，指導という形で相互行為がなされなくても，社内に学習の機会が用意されていることを確認する。

　主題として扱うのは，社内に設置されている上り棚である。通用口を入ってすぐに設置されている上り棚は，社内のアニメーターたちが完成した原画などを置き，他社の制作進行などがそこから回収する，X 社と他社をつなぐ物のやりとりがなされる場である。この点で，上り棚は複数の制作会社との協働が成り立つうえでの，協働の中心（Suchman 1997）になっている。通用口のすぐ前に配置されていることからも，この成果物の引き渡し（納品）が上り棚が担っている主な機能であることがわかる。

　このことはフィールドワークを経なくても十分にわかることだが，空間の使用という観点で X 社の成員の活動をみていくとき，この上り棚が通用口の前にあることは技能形成の機会を与えるうえでも意味があることがわかる。このことを以下では確認していく。

　たとえば以下のようなフィールドノートの記述がある（フィールドノート 5-10）。

　小松は 1 月 26 日 20 時 50 分に，トイレに行くために席を立っている。そこから

●フィールドノート 5-10

FN20170126：2053　上り棚の原画を見る

小松さんがトイレから戻る途中，上り棚にあるカット袋の中身の原画を見ている。

戻る途中に上り棚に立ち寄り，上り棚に置かれているカット袋から原画を取り出して，それらを2分ほど見ていた。ここで見ていた原画が誰のものであったのかまではフィールドノートに記述がないが，この日直前に上り棚にカット袋を置いたのは石原で，その時刻は20時18分である。筆者はこの日18時10分からX社内にいたが，少なくともそれ以降において小松は上り棚で立ち止まったり，ましてやカット袋を出し入れしていたりすることは観察されていない。これらのことからすると，小松が自らが納品した原画を，自ら確認していることととは理解しにくい。いずれにしても，ここからは上り棚に提出された原画は場合によっては描き手によって戻されたり，他者によって閲覧される可能性があることがわかる。実際，小松は4月20日には，岩田が作監チェックを済ませたカット袋を取り出し，それを一通りコピーしている（FN20170420：2256）。

　さらに，小松がトイレに行ったあと自席に戻る途中で上り棚に立ち寄っていることが，X社におけるオフィスのデザインを考えるうえでたいへん重要である。座席の配置図をみるとわかるが，上り棚はアニメーターたちの作画机や事務室があるエリアと，トイレやキッチン側テーブルなどがあるエリアの間にある。つまり，トイレに行ったり飲み物を取ってきたりする際，誰もが上り棚の横の通路を通らなければならないデザインになっている。さらに，上り棚は引き渡しの場である以上，通用口側に向いており，トイレやキッチンから戻る際，上り棚にカット袋が置かれているかどうかが意識的に目をそらしでもしない限りは，目に入るようになっている。上り棚の状況は，トイレや飲み物を入れるなど，業務的な活動ではないが皆が行う活動に伴う形で，つねに把握が可能になっている。ここではまず上り棚に置かれた原画が他者から見られることに対しても開かれていること，そして上り棚の状況が他の頻繁になされる活動にともなって把握可能であることを指摘しておきたい。

　他者の原画が見られることは，アニメーターの技能形成において非常に重要である。本章を通して議論してきたように，アニメーターの作画能力には，シーンの状況に対する人間や物の適切な動きの知識，そしてそれを実際の絵のうえで実現する画力が関わっている。これらを習得するうえで，他者が実際に実現した原画を見られることは，仮に一人で作業をしていた場合には得られない技能形成の機会となる。この点で，上り棚は引き渡しのセンターであると同時に，社内のアニメーターにとっての学習の場ともなっているのである[5]。

5）小松のこの場面におけるより詳細な実践については，松永（2020）を参照のこと。

　最後に，この他者の原画の閲覧とX社の空間的編成の関係について指摘しておきたい。指導や相談という活動が作画机で，組織外の者とであれば応接室側テーブルで行われたように，上り棚で他者の原画を見るという活動もそれとX社の空間をめぐる秩序と無関係ではない。とりわけ，あくまで他者が描いて提出された原画は原則的には後工程の者によって見られるべきものであって，他者に自らの原画を見られることを嫌う者もいる。これをふまえつつ，空間的編成との関連を確認していこう。

　まず，上り棚で他者の原画を見るという活動がなされているときには，その原画を見ている者以外はみな作画机や事務室についていることが多い（FN20170302：1958など）。この例外は，3月16日16時45分に中田が，4月12日3時23分に小松が上り棚のカット袋を見ている事例であるが，前者の事例では大塚がキッチン側テーブルにおり，会社の外から取り込んだタオルをたたんでいた。後者の事例では，坂本が応接室側テーブルで椅子を並べて寝ていた。つまり，上り棚で原画が見られているとき，その活動を見ることができたX社の成員はいなかった。前者においてはキッチン側テーブルの大部分は棚で仕切られており，後者においては位置としては観察可能な位置だが，そこにいた坂本は寝ている状態にある。他者の原画を見るという活動は，このようにX社内の他者からは見られない，という条件のもとで行われているのである。

　X社内にいれば誰でもがトイレや飲み物を取りに行くたびに誰でも上り棚を確認可能であるがゆえに，この制約は大きいものになる。つまり，上り棚で原画を見るという行為自体もつねに他者から見られる可能性がある。その結果として，原画を見ていられる時間は制約されることになる。

　しかし，この制約は技能形成の機会を得ることそれ自体の制約ではない。他者の原画を見ることは，それ自体はすでに納品されたものを公的な権利なく，非公式な形で見ることでもあるし，他者から原画を見られたくない者もいる可能性がある。この点で，他者の原画を見ることもまた個人への介入を伴うものであるといえる。個人への介入をしないという規範の利用がたびたびみられるX社においては，他者の原画を見ることを，他者に見られる形で行うことは，いっそう問題含みになりうる。そうであるからこそ，他者の原画を見ることは，他者がそれを見ていないところにおいて行われる。つまりこれもまた空間的編成に対する配慮のもとで可能になっている活動であり，この配慮が時間的制約とともに現れている以上，時間的制約があることは，他者の原画を見るという活動の一部分を構成しているのである。

言い換えれば，時間的制約は他者の原画を見ることを制約しているのではなく，その制約があるがゆえに他者の原画を見ることが可能になっているのである。

　本節では他社への引き渡しを本来的な機能とする上り棚が，社内の者にとっての学習の機会を提供する場ともなっていること，そしてこれもまた X 社の空間的編成で達成されている活動であることを示した。直接の指導を行う以外にこうした機会が担保されていることは，アニメーターの技能形成を進めていくうえでは重要な実践である。それはあくまで他者に見られないように「非公式」な形で行われるが，それは空間的編成への成員たちの配慮を通して，公的に成し遂げられる事態なのである。

6　結　　論

　本章では，X 社においてなされているアニメーターの人材育成の実践と空間的編成について議論してきた。第 2 節では社長と若手アニメーターのやりとりを分析し，指導における作画の正しさの準拠点として人間や物の動きに関する常識的知識が参照されることを指摘した。この準拠点は，第 3 節・第 4 節でのやりとりでも用いられていた。さらにつねに指導を受ける側が社長の作画机に赴いて指導を受けることにより，作画机の個人的空間としての規範的意味が維持されていること，そしてこれが指導者の作業の中断を短くすることに寄与した活動であることを示した。第 3 節では社長以外のアニメーター同士でなされる指導を分析し，そこでも個人的空間への志向が示されており，その志向があるがゆえに指導を与える側の方が移動するという現象が生じることを論じた。第 4 節では社外の監督が社内の若手に対して指導を行う場面の分析から，指導のなかで制作スケジュール上の進行状況といった作業の全体状況に関する問題が独自なものとして伝えられること，そしてこれらの活動は作画机ではなく応接室側テーブルで行われ，まさにそのことが指導が社外の者からなされているという理解可能性を与えることを示した。第 5 節では他社への引き渡しを本来的な機能とする上り棚が，社内の者にとっての学習の機会を提供する場ともなっていること，そしてこれもまた X 社の空間的編成とともに達成されている活動であることを示した。

　本章で扱った事例は，さまざまな仕方でアニメーターたちに対して技能形成の場が用意されていること，それが職場における空間的編成と分かちがたく結びついていることを示すものだったといえる。次章ではここまででも何度も問題にしてきた

空間的編成と個人的空間への配慮という問題を主題化し，この問題を解くこととともにどのような組織的問題の解決が与えられているのかについて議論していきたい。

06 個人的空間への配慮と空間的秩序の遂行

1 問題設定

　本章では，社長やマネージャーに限らない X 社の成員の話しかけや会話などの活動と，職場における空間的秩序の関係について分析を展開していく。前章までの分析は，労務管理と人材育成というトピックを扱ったこともあり，マネージャーや社長といった管理的な業務にも関わっているスタッフを分析の中心に据えざるをえなかった。もちろんそのなかでも，各々が空間的秩序に配慮しながら，アニメーターという個人の裁量を損なわない形で，労務管理や人材育成の活動が行われていることを指摘してきた。だが，序章でサッチマンの議論を参照しながら示したように，職場における空間的秩序というものは，その秩序に志向して成員が不断に活動を行い続けていなければ維持することができない。そうであるならば，労務管理や人材育成といった企業の経済活動のなかで制度的に行われるのとは異なる活動がなされる場合でも，成員たちは空間的秩序に志向して行為していかなければならないはずである。そこで本章では，仕事上の会話だけではなく雑談なども取り上げていくことによって，そして作画机以外のさまざまな空間における活動をみていくことによって，それぞれの活動において成員たちの空間的秩序への志向がみられることを一つひとつ分析していく。そのためのデータとして，本章ではフィールドノートの抜粋だけではなく，そこにおいて社内に誰がおり，誰がどのような移動を行ったのかを座席表に示しながら分析を行っていくこととする。その結果として，X 社における空間的秩序，とくに作画机の個人的空間としての性質が，X 社における経済活動の基盤となっていることが明確になるだろう。

　本章の構成は以下のとおりである。第 2 節では X 社内では比較的会話がよく起

きるキッチン側テーブルと応接室側テーブルにおいてなされた会話を取り上げ，それがどのような活動のなかで行われたのかを分析する。第3節では作画机についているアニメーターへの話しかけがどのような形でなされるのかについてみていく。第4節では例外的に用件があるにもかかわらずアニメーターへの話しかけが中断される事例について分析し，話しかける側だけではなく，話しかけられる側にも空間的秩序への志向を示すやり方があることを明らかにする。

2 作画机以外のスペースにおける会話

　本節では，作画机以外のスペースで起きるアニメーター同士の会話や，アニメーターとマネージャーの会話について扱っていく。作画机が個人的な空間として成立し，労務管理や人材育成といった営みもそこへの配慮を示しながら行われていることについては前章までに示したとおりである。それでは作画机以外のスペースについてはどのような活動がなされているのだろうか。

　フィールドワークのなかでは，アニメーターたちが作画机についていないときには，キッチン側テーブルで食事や休憩などを取っているか，応接室側テーブルに置かれた資料を立ち止まって見ていることがしばしば観察された。またこれらの場では，必ずしも仕事上の用件などがない場合でも会話が発生する事例がいくつも見られた。このスペースはトイレやキッチンとの間にあるため，スタジオ内でとくにスタッフ同士が（すれ違うにしろ，会話が起きるにしろ）対面した状況になりやすい位置にある。

　これらのことをふまえて，キッチン側テーブルと応接室側テーブルにおいてなされたスタッフ間のやりとり，そしてそれと空間的秩序の関わりについて明らかにしていく。

■2-1　キッチン側テーブル

　キッチン側テーブルは，基本的には食事スペースとして用いられており，持参したり購入したりした弁当などを食べるスペースとして用いられている。また，スタッフが持ち寄ったり，差し入れられたお菓子などもここに置かれ，しばしばそれを食べにきたスタッフ同士で談笑するような場面もあった。これらの観察だけで，労務管理や人材育成上の会話がなされるのをみてきた作画机とは，異なった秩序のもとにキッチン側テーブルがあることがわかる。

　しかし，作画机が仕事場で，キッチン側テーブルは休憩や雑談をする場所だとい

うように，排他的に分かれているわけではなく，この場所でも業務に関する会話が
発生することがある。その内容から，この場における空間的秩序について考えてみ
たい。

　フィールドノート 6-1 は，3 月 25 日 19 時 40 分に起きた小松と武田のやりとりの
記録である。以下のやりとりの直前，武田は席を立ち，コップとカット袋を手に
もって上り棚に向かい，そこにカット袋を置いたあと，キッチンに飲み物を入れに
いった。そこに小松がやってきて，以下のようなやりとりがあった。

　まずはやりとりの内容からみてみよう。小松は武田に，とある作品での演出家に
ついて知っているかを尋ねている。ここではその作品に武田が関わっていたことか
ら，武田がその演出担当者について知っていることが期待されている。その演出家
について，その日に行われた作画打ち合わせにおいて X 社と関わりのある人物で
あることがわかったが，小松がその相手について知らなかったため，武田に尋ねて
いるのである。武田はその人物について「けっこう調子のいい人」であると評価を
述べ，小松も「フットワークが軽め」と述べて同意を示している。フィールドノー
ト 6-1 に記したやりとりのあとにも当該の人物についての情報が話されるが，ここ

●フィールドノート 6-1

> FN20170325：1940　キッチン側テーブルにおける小松さんと武田さんの
> 会話
>
> 小松さんがキッチンで飲み物を入れている武田さんに話しかける。
> 小松：武田さん○○の 4 話の演出って覚えてます？　××さんって言うん
> ですけど。
> 武田：××さん？
> 小松：××（（フルネーム））って言うんですけど。
> 武田：ああ。
> 小松：今度新しくやる作品の，「△△」って言うんですけど，今日その作打
> ちで，電話打ちだったんですけど，X 社ですって言ったら「X 社さんにはい
> つもお世話になっております」って言われたけど知らないなあと思って。
> 「いつもお世話になっております」って言いましたけど。
> 武田：けっこう調子のいい人ですよ。
> 小松：そうですよね，なんかフットワークが軽めというか。

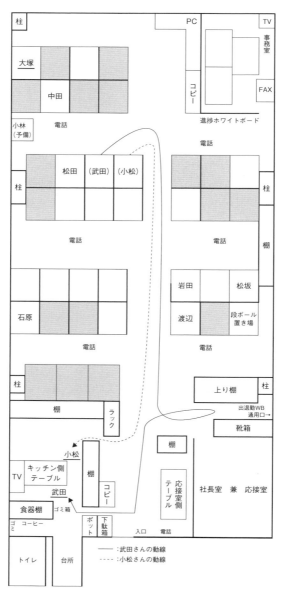

図 6-1　3 月 25 日 19 時 40 分における小松さんと武田さんの動線

ではすべては記録できていない。

　ここでなされているのは，社外の人物についての情報共有である。当該の演出家と小松がやりとりをしたのは作画打ち合わせにおいてであるため，この演出家は小松にとっては実際の制作工程上の指示者の一人ということになる。このように社外のスタッフについての情報をX社内の同僚から仕入れることができるようになっていることは，X社のなかにおいて他社との協働を行うためには重要なことである。

　しかしここでさらに重要なこととして指摘したいのは，このやりとりが，作画机からキッチン側テーブルへの移動とともになされているということである。武田は上り棚にカット袋を置いてから，キッチンで飲み物を入れているが，小松はこのときカット袋やコップなどを持たずに席を立ち，直接キッチン側テーブルに向かっている。

　このことは，小松が武田に尋ねている内容が，偶然キッチン側テーブルで出くわしたから話しているのではなく，あらかじめ尋ねようとしていた内容であることを示している。カット袋やコップを持っていないということは，小松の移動が上り棚への納品や，キッチンで飲み物を入れるためになされたものではないことを示している。さらに，これらの理由なくキッチン側テーブルを通るとすればトイレに行くということがありえるが，上記のやりとりの後に小松は自席に戻っている。これらのことは，小松の移動があらかじめ武田への質問のためになされたことを示しているといえるだろう。

　しかしそうであるならば，なぜわざわざ小松はキッチン側テーブルに移動して他社のスタッフについて尋ねているのだろうか。というのも小松と武田は隣席であり，移動しなければ話しかけられないという位置関係にはない。小松は席に座ったまま，武田に話しかけることも可能だったはずである。

　それにもかかわらず小松が移動して武田と会話をしていることには，社内の空間的秩序に，小松自身が志向していることを示していると思われる。というのも，これまでもみてきたように，作画机は個人的な空間になっており，その場でアニメーターが行っている活動についてできる限り中断がなされないように，X社のスタッフたちは配慮している。こうした事柄から，小松が武田に話しかけるという行為は，たとえ隣席であっても，作画机においてなされるよりも，キッチン側テーブルでなされる方がより適切であったのである。小松がわざわざ移動して話しかけを行っていることには，作画机では極力会話をするべきではなく，キッチン側テーブルは比較的の会話をしてもよいという，空間的秩序に志向した活動であるといえる。

　さらに，小松が話している内容は仕事関係のものであることも空間的秩序を考えるうえで重要である。次節で取り上げるが，作画机についているアニメーターに話しかけがなされるとき，そのほとんどは電話の取り次ぎや相談事など，業務上の話しかけの必要性を理由としたものである。小松と武田の会話がどれだけ「相談」に属す事柄であるかはフィールドノートの記述のみからは判断できないが，少なくとも業務上の話題である以上は，作画机上でそれを尋ねても問題とならなかった可能性も十分にありえる。それにもかかわらず武田が移動するタイミングに合わせて移動し話しかけるという小松の活動が，よりいっそう空間的秩序に志向した活動として理解できるのである。

　加えて，この一連の活動は，業務の時間的な流れとも強く関わっている。そもそも小松が，武田がキッチン側テーブルに向かうことを予期できたのはなぜだろうか。これについては，武田が席を立つ際に，コップとカット袋を手に持っていたことが重要である。すなわちコップが手に持たれていることで，武田が作画机から入口方面に向かうことが，飲み物を入れる，もしくはコップを片づけるというような，キッチン周辺の設備を使用する活動の一部として観察可能になるのである。このように席を立ったアニメーターが手に持っている物は，その者が志向している活動がどのようなものなのかについて理解を導く手がかりとなる。この点を考えていくと，武田がコップに加えてカット袋を持って席を立ったことは，小松が武田の仕事を中断させない形で話しかけるうえで，非常に重要である。なぜならカット袋を上り棚に置くことは作業していた原画等を取引先に納品するということであり，少なくともその納品されたカットに関しては，作業が一段落したことを示しているからである。つまり，とりわけこのタイミングにおいては，話しかけを行っても，それが相手の作業の中断を伴わない可能性が高くなる。そのタイミングでさらに武田がコップを持ってキッチン側テーブルに移動することが併せて予期されたからこそ，小松は移動して，そこで業務上の質問を行うことができたのである。

　この「カット袋を上り棚に置いた直後」というタイミングは，上記のキッチン側テーブルにおける活動が終わったあとにおいても小松と武田の活動において関連性を有していると思われる。というのも，19時40分のフィールドノートに記されたキッチン側テーブルの会話が終わったあと，具体的には取引先の演出家についての話題が終わったあと，小松はすぐ自身の作画机に戻ってくるが，その直後に席に戻ってきた武田に，再度話しかけている。

　その内容は，この前日3月24日に実施された全体ミーティングの内容と小松が

これから関わる作品についてである（FN20170325：1947）。後者に関しては演出家について話されたのと同じ作品についてであり，同じ話題が継続している。ただいずれにせよ重要なのは，原則的には会話が起こらない作画机において会話が起きていることである。キッチン側テーブルに移動する際には小松は作画机につきながら会話しないように配慮を示していたが，ここでは武田が席に戻ってきたばかりであり，次の作業に取りかかり始めていないため，話しかけることが相手の業務上の作業への中断を伴わないものになっている。ここでも小松の活動は，武田の作業の状況に対してつねに配慮を払いながらなされているのである。

　この小松と武田のやりとりの事例からは，まずもって相手の作業を中断させないことにスタッフ同士が志向していることが示されていると同時に，キッチン側テーブルという空間がスタッフたちの活動の帰結として，比較的会話をしてもよい場所として構成されていることがわかる。つまり，原則的に作画作業は作画机上でなされ，他の場所ではなされないため，そこでの会話は相手や周囲の作業の中断をもたらす蓋然性が高い。それに対してキッチン側テーブルは周囲にコーヒーサーバーやキッチンなどがあり，休憩に利用しやすい場所としてデザインされていることもあり，ここでの会話は相手の作業の中断を伴いにくい。それゆえ，この場では作画机よりも相手に話しかけることを行いやすくなり，現に会話がなされることによって，キッチン側テーブルが比較的会話を行ってよい場所として構成されているのである。

　ここで注意しておきたいのは，作画机で会話が起こりにくいのはそこが仕事場であるからではなく，仕事場であるがゆえに相手の作業を中断させてしまいやすいからであるということである。つまり，カット袋を納品して休憩を終えて戻ってくるまでの間のような，相手の作業が区切りを迎えている時間においては，会話がなされたことからもわかるように，作画机で会話が起こりにくく，キッチン側テーブルで会話が起こりやすいということは，スタッフが「相手の作業を中断させない」という規範に志向して活動した結果としてもたらされていることである。この点で，机の置き方などの空間のデザインに加えて，そうしたデザインを資源とした成員たちの活動が組み合わされることで，社内の空間的秩序が達成されているのである。そしてこれは，互いの作業を中断させないという点において，社内のアニメーターたちの労働に対して合理的特徴を有しているといえるだろう。

　それではキッチン側テーブルにおいて比較的会話がしやすいという形で空間的な秩序が成り立っていることは，アニメーターたちにとってはどのような意義があるのだろうか。スタッフ同士が相手の作業を中断させないという規範を志向しており，

その結果として作画机では会話が起こりにくくなることは，業務上必要なコミュニ
ケーションを阻害する可能性がある。それでも必要性がある場合は作画机の並ぶ空
間で会話がなされるのだが，それだけではスタッフ同士が偶然的に有益な情報を仕
入れることができる可能性が狭まることになる。X社の空間的秩序はそのような
逆機能をもたらす可能性を備えているといえる。しかし以下の事例はそれがキッチ
ン側テーブルでのコミュニケーションによって解決されることを示している。

　分析するのは先ほどの抜粋と同日の3月25日21時05分におけるやりとりであ
る。前述の小松と武田のやりとりがあったあと，20時01分に外出していた小林が
X社に戻ってくる（FN20170325：2001）。小林は帰りがけに団子を購入しており，社
内にいたスタッフによかったら食べてくださいと言って回り，小松・武田・岩田が
キッチン側テーブルに移動して団子を食べながら雑談をし始めた（FN20170325：
2003）。この談笑はその後50分弱続くことになるが，渡辺は雑談が始まった時点で
は自身の作画机で作業を進めていた。渡辺は20時20分にトイレに行くため席を立
ち，その戻りがけにキッチン側テーブルでの会話に加わった（FN20170325：2020）。
会話のなかでは岩田が趣味の乗馬の話などをしており，全体として業務上の会話で
はなく，プライベートな話題が話されていたが，岩田と渡辺の間で途中からその時
点で二人が関わっていた作品についての話題に転換した[1]（FN20170325：2050）。以
下で分析するのはその後になされたやりとりである（フィールドノート6-2）。

　渡辺は，岩田と共に関わっている作品について，その元請制作会社の仕事は特定
の制作進行を通して得ていると述べている。さらにその制作進行について肯定的な
評価を述べている[2]。

　重要なのは続く部分である。話題が同じ作品の設定画について及ぶと，渡辺が特
定のキャラの「杖の設定」がまだ元請制作会社から届いていないことを確認してい

1）なお，20時46分には外出していた小笠原さんが戻ってきている（FN20170325：2046_1）。
　岩田さんと渡辺さんの話題の転換はその後になされているので，ここには小笠原さんの
　社長としての権力が関わっている可能性もある。ただし小笠原さん自身が外出先で鑑
　賞してきた作品について松田さんに話すなどしており，社内で作業を行っていない者が
　多くいることに対して明示的に不満などを示してはいない。
2）特定の制作進行から仕事を獲得していることについては，信頼関係が築かれていること
　によりここで渡辺さん自身が述べているような単価交渉などにも応じてくれることな
　どのメリットもある一方，受注先に依存することになるため，たとえばその制作進行が
　退職してしまった際に仕事の獲得に支障が出るなどのリスクもあると述べていた（渡辺
　さんへのインタビューより）。

●フィールドノート 6-2

FN20170325：2105　キッチン側テーブルでの岩田さんと渡辺さんの会話

キッチン側テーブルで岩田さんと渡辺さんが同じ取引先の同じ作品について話している。
渡辺：○○（会社名）さんの仕事はみんな××（制作進行の名前）からもらってます。あの方はマメで，融通も利かせてくれて，値段交渉にも応じてくれて，今後もおつきあいしたいですね。
そのあと，同じ作品についての設定画についての話になる。

渡辺：杖の設定とか来てないですよね？
岩田：来てるよ。
渡辺：杖はラフしかない。
岩田：ちゃんとしたの来てるよ。
渡辺：まじすか。

岩田さんは席に戻り，しばらくして（20分後くらい）紙をもって「渡辺くんこれでしょ？」と言って渡辺さんの席にくる。渡辺さんはそれを受け取ると，応接室側でコピーをとった。それを岩田さんに戻しに行く際に，設定画にミスがある（あるはずのベルトが描かれていない）ことを話していた。岩田さんはそれに対して「もしなかったら，いなくてもここにあるから」と述べている。

るが，岩田は「来てるよ」と返している。渡辺は杖に関しては「ラフ」しかない，つまり正式な設定画が到着していないことを主張するが，岩田のもとには正式な設定画がすでに到着していた。これに対して渡辺は「まじすか」と驚きを表明している。

　ここでわかるのは，渡辺は設定画が来ていないことについて，取引先が送付ミスをしているのではなく，まだ完成していないために送付されていないのだと理解していたということである。岩田のところには正式な設定画が届いている以上，これは取引先の送付時におけるミスであると思われるが，それはこのやりとりを通してはじめて渡辺にとって明らかになったのだった。

　このあと二人はそれぞれの作画机に戻り，各々の作業をはじめるが，約20分して，岩田が話題となっていた正式な設定画をもってきて渡辺に手渡した。渡辺はこれを受け取り，応接室側のコピー機でコピーをとると，それを自席に戻っていた岩田に

返しに向かった。その際には岩田の側から，設定画自体にもミスがあり，キャラクターが身につけているはずのベルトがないが，実際には描かなければならないという情報が伝えられている[3]。

　ここでは，キッチン側テーブルではじまった雑談から引き続く仕事についての会話のなかで，渡辺の取引先の不備が偶然的に解決された形になっている。この場面において重要であるのは，渡辺が取引先の不備をそもそも不備として認識していなかったことである。もし渡辺が取引先の不備をそれとして認識していたのであれば，岩田に尋ねたり，取引先に直接尋ねたりすることができただろう。しかし渡辺がそういうものとしては自身の状況を理解しておらず，岩田との会話のなかではじめて顕在化することになった。つまりこのやりとりでは，渡辺が抱えていた潜在的なトラブルが，会話のなかで顕在化するということが起こったのである。

　このような現象は，次節でみていくような，あらかじめ用件があって相手に尋ねるというようなやりとりでは起こりにくい。なぜならこうした質問が成り立つためには，自身が抱えているトラブルをそれとして認識していなければならないからである。それに対してキッチン側テーブルで起こる会話は，そこでなされてよい会話の内容が多様であるがゆえに，渡辺と岩田の間でなされたような潜在的なトラブルの解決可能性を有している。この潜在的トラブルの顕在化という点は，キッチン側テーブルの空間的秩序が備えている，職務遂行上の一つの合理的特徴だということができるだろう。

　このように本項では，キッチン側テーブルという空間が多様な会話を許容する空間であること，それが X 社の成員が用いている「他者の作業を中断させない」という規範のもとで成し遂げられていること，そしてこの空間的秩序がアニメーターたちの労働にとって有している合理性として，潜在的なトラブルを顕在化させる機能があることを指摘した。

　これらのことは，キッチン側テーブルがまずもっては休憩や食事を取るスペースとしてデザインされていることと無関係ではない。それでは他の仕方でデザインさ

3）このように岩田さんの方が正しい情報を有しているのは，岩田さんが作画監督として当該作品に関わっており，渡辺さんは原画マンとして関わっていることに原因があるかもしれない。作画監督の方が原画マンよりも多くのカットに関わりやすいため，多くのキャラクターについて設定を把握しておく必要が生じやすい。とはいえ，渡辺さんも杖を持ったキャラクターが登場するカットを担当している以上，そのキャラクターについての情報は受注の過程で知らされているべきものである。

れている場所においてはどのようなやりとりがみられるだろうか。次節では基本的
に受注依頼が来ている作品の資料が置かれている，応接室側テーブルについてみて
みることにしよう。

■ 2-2　応接室側テーブル

　本項では応接室側テーブルにおけるやりとりについて分析を行う。応接室側テー
ブルは，原則的には受注依頼の来ている作品の資料（絵コンテなど）が置かれている
ほか，来客時の応接スペースとして利用される。実際これまでにも，マネージャー
と他社のプロデューサーが打ち合わせを行ったり（第4章），作品Aの監督がX社
のアニメーター（中田）に指導したりする（第5章）際などにこのスペースが用いら
れていることを確認してきた。

　これらは応接スペースとして利用されている事例であるが，来客がない場合は作
品の資料が机に広げられて置かれており，アニメーターたちはここに置かれた資料
を適宜参照していた。そのうえでこの空間の利用に関して特徴的なのが，資料の参
照がつねに別の活動のなかに組み入れられて行われるということである。言い換え
れば，応接室側テーブルに置かれた資料を参照するためだけに作画机を立って移動
するという事例は，筆者が行った調査の限りは見られなかった。

　具体的な事例をみてみよう。取り上げるのは2月11日18時38分における松田
についての記録である（フィールドノート6-3）。

　松田の具体的な動きは図6-2に示した。フィールドノートの記録と図の動線を見
ればあきらかだが，松田は事務室側のコピー機でコピーをとったあと，自席にコッ
プを取りに戻り，コップをもってキッチン方向を向かっている。その途中で足をと
めて応接室側テーブルの資料を見ているのがこの場面である。

　ここでは松田がコップを持って移動していることからわかるように，松田はキッ
チンの方へ飲み物を取りに行っていることがわかる。実際，松田は応接室側テーブ
ルで資料を少し見たあと，飲み物を入れて2分後には自席に戻っている。ここでは

◉フィールドノート6-3

FN20170211：1838　松田さんの移動

松田さんが事務室側コピー機でコピーをとったあと，コップをもってキッ
チンへ。途中で応接室側テーブルの絵コンテを見ている。

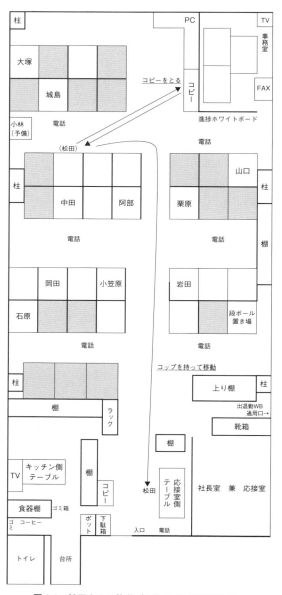

図6-2　松田さんの移動（2月18日18時38分）

松田が応接室側テーブルの資料を見ることを目的として席を立っているわけではないことは，その資料を見ている時間の短さからも明らかであるように思われる。

　空間的秩序という観点で指摘しておきたいのは，まさにこの松田の事例がそうであるように，応接室側テーブルという場が，キッチンやトイレの方に向かう際の動線上に配置されているということである。キッチンやトイレに向かう場合，そこへ移動する経路は応接室側テーブル周辺まで来たあとにラック側の通路を通るか，もしくはポット側の通路を通るかであるが，ほとんどの場合 X 社のスタッフはポット側の通路を使用する[4]。その結果，応接室側テーブルに置かれた資料は，キッチンやトイレに向かったりそこから戻ったりする際には，どうしても目に触れる位置にあることになる。とりわけキッチンやトイレから戻る場合は，応接室側テーブルが進行方向に正対して配置されているので，机の上の様子に大きく変化があれば，あえて目をそらしたりしない限りは目に入ることになる。このように，応接室側テーブルにおける資料の参照は，キッチンやトイレを利用する他の活動の進行中に可能であるようにデザインされており，実際にアニメーターたちはそのように資料の参照を行っていた。

　こうした空間的デザインがなされていることは，アニメーターがわざわざ次に得る仕事の情報を得るためだけに何らかの活動をすることを減らすという点で理にかなったものになっている。飲み物を入れたりトイレに行ったりという，日常的に必要な活動のなかで受注依頼が来ている作品の情報を仕入れることができることは，次の仕事を探すアニメーターが情報を探索するコストを削減することにつながる。仕事獲得に関しては X 社ではその大部分をマネージャーが担っていることを第 4 章にて指摘したが，そうした分業に加えて，仕事情報が日常的な活動とともに得られるようになっていることで，アニメーターが本来の職務である作画作業に集中しやすくなっているのである。

---

4) 座席図ではわかりにくいが，ラック側の通路はポット側よりも若干狭くなっている。それに加え，ラック側の通路を通るとキッチン側テーブルに人がいた場合顔を合わせることになるため，そこにいる人物にあらかじめ用件がある場合でなければ，ポット側の通路を通るようになっていると思われる。本章第 1 節の小松さんから武田さんへの話かけは，まさに武田さんに用があるためにラック側を小松さんが通過している事例であった。また，ラック側の棚にも原画募集が掲示されている。ただしこちらに掲示されているものは資料等が添付されておらず，小林さんが電話をとった際のメモか，もしくは他社のメールや FAX などが印刷されて掲示されている。

　それとともに，松田の事例のように飲み物を取ってくる間に資料の参照がなされることは，応接室側テーブルが業務の中断とともに利用されやすいことを示している。この点で，応接室側テーブルという場は，それ自体が休憩を取るためのスペースとしてデザインされているわけではないが，そこを利用する活動が休憩に関する活動のなかに埋め込まれてなされやすいため，ここもまた一つの会話をするスペースとして機能することがある。

　そうした事例として，以下のようなものがある。フィールドノート6-4は，4月4日に小林が岩田と渡辺に業務上の用件で声をかけ，資料が並べられていた応接室側テーブルで会話が進められるものである。

　小林がもちかけているのは，他社から受注依頼が来ていた版権画の仕事である。その版権画は，その発注元の制作会社が制作しているアニメーション作品をソーシャルゲームに展開したものに利用するイラストであった。そのイラストは本来は

●フィールドノート 6-4

FN20170404：2013　応接室側テーブルにおける小松さん・岩田さん・稲葉さんの会話

小林さんが岩田さんと渡辺さんに話しかけ，応接室側テーブルで絵コンテを見ながら話をしはじめる。話の内容は他社から依頼があった，ソーシャルゲームのイラスト画の仕事の依頼で，4月14日が締切だという。全部で30カットあるのだが，全体的にどういうシーンなのかがわかりにくいことなどが話されている。
そうした話をしていると，稲葉さんが通りかかり，会話にまざった。笑いながら「〇〇（発注元の制作会社の名前）がやらなかったら誰がやるんだよ」「メインキャラの絵なのになぜ回ってくるのか」などと取引先に言及している。結果的に渡辺さんの自らの担当するイラストを選び，残りを岩田さんが担当することとなった。3名の会話は30分ほど続き，20時43分に3名とも [5] 自席に戻った。

5）小林さんは同時刻に席に戻ったことが記録されておらず，岩田さん・渡辺さん・稲葉さんの会話がなされている間に別の場所に移動しているものと思われる。小林さんの行動で直後に記録されているのは，3名が席に戻った7分後の20時50分に中田さんに声をかけて事務室で話をしている場面である（FN20170404：2050）。

発注元の制作会社のなかで制作されるべきものであるが，発注元の何らかの事情により X 社に依頼が回ってきた[6]。

　会話のなかでは，「どういうシーンなのかがわかりにくい」ことなどが述べられながら，どのイラストを岩田が担当し，どのイラストを渡辺が担当するのかについて話し合いがなされていた。このやりとりのなかでは応接室側テーブルには当該の仕事の絵コンテなどが並べられており，マネージャーの小林に声をかけられてそこで業務上の話し合いがされていることから，ここでは応接室側テーブルは仕事をする場の一つとして構成されているといえる。

　だが，その岩田と渡辺の会話がなされている間に，稲葉がそこを通りかかって二人の会話に混ざっている（図 6-3）。

　稲葉はキッチン側方向に向かい，その途中で足をとめてテーブルに置かれた資料を見て会話に混ざると，発注元の制作会社で処理されるべき仕事が X 社に回ってきていることについてネガティブな仕方で言及している。こうした発言は，稲葉自身が発注元の制作会社と仕事をした経験を有することと関連するかもしれないが，X 社の空間的秩序を考えるうえで重要なのは，この場で 30 分もの間会話が継続してなされていたということである。それも，そこで岩田と渡辺が打ち合わせている内容は二人でどのように仕事を配分するかであるが，稲葉の発言はそこからは若干焦点のずれたものになっており，少なくとも打ち合わせが始められたときよりは，この会話は「雑談」としての様相を呈しているといえる。キッチン側テーブルを除いて 30 分もの間会話が続けられることは X 社においては非常に珍しいことだが，この事例は応接室側テーブルで打ち合わせが発生していること，そしてテーブルに配置されている資料を資源として，会話が長い間なされた事例であるといえる。

　しかし注意しなければならないのは「雑談」とはいっても，当初はあくまで業務上の話し合いであるのに加え，稲葉の発言も取引先に言及しているという意味では，業務上の会話とまったく無関係なことを述べているわけではないということである。これはキッチン側テーブルでは岩田が趣味の乗馬について話していたように業務に無関係な会話もなされることとは対照的な点である。応接室側テーブルは会話を避けるべき場所としては構成されていないが，そこでなされるべき会話はそこに置かれた資料などの物資的な環境を資源としたものに限られており，結果としてそこでなされる会話の話題は制約されることになるといえるだろう。実際のところ応接室

---

6) この発注元と X 社は以前から取引があり，業務上の交流が比較的深い。

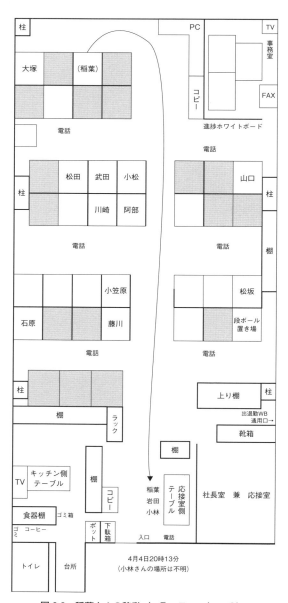

図 6-3　稲葉さんの移動（4 月 4 日 20 時 13 分）

側テーブルにおける X 社スタッフ同士の会話は他に 2 事例しか観察されていない。この点で，キッチン側テーブルと応接室側テーブルにはともに会話を許容はするが，別の空間的秩序が成り立っているといえるのである。

■ 2-3　小　　括

　本節では，X 社スタッフの動線上に位置していることの多いキッチン側テーブルと応接室側テーブルという二つの空間を取り上げ，その空間的秩序と，その合理的特徴について議論した。キッチン側テーブルは，原則として休憩や食事を取る場としてデザインされているが，そこでは多様な話題が許容されているがゆえに，その場で業務の話題をもちかけたり，偶然的に自らの業務が抱えている潜在的問題が顕在化したりするという合理的特徴を有していた。応接室側テーブルは，会話がなされることはあるものの，その内容はテーブルに配置された資料という物資的環境に依存しており，その範囲内で会話がなされることがあった。さらに応接室側テーブルはキッチンやトイレに向かう動線上にあるため，そこでの用件をすませる活動のなかに応接室側テーブル上で受注依頼が来ている作品の情報を得るということが可能になっており，これによりアニメーターが自ら情報を収集しようと独自に行動を起こすことがなくても，情報が入手できるようになっていた。このような仕方で，それぞれの空間における秩序は，業務上の合理性を有しているということができる。

　この空間的秩序を考えるうえで重要なのが，その秩序を成り立たせている規範として，他者の作業を中断させないという規範がつねに用いられているように思われることである。本節第 1 項の小松の事例などはそれが顕著に用いられていることが見てとれたし，第 2 項の稲葉の事例においても，応接室側テーブルでなされていた打ち合わせそれ自体を中断させたわけではない。この規範は，X 社のスタッフの活動や，空間的秩序の編成に強く関わっているといえそうである。

　そうであるならば，アニメーターたちがそれぞれの作業に従事する場として編成されている作画机において話しかけを行う場合にはよりいっそうの配慮が必要になることになる。とはいえ，アニメーターたちは勤務時間内の大部分を作画机上で過ごしている以上，業務上の連絡などで話かける必要が生じざるをえないことも事実である。

　次節ではそういった，作画机についているアニメーターに他者が話しかける事例について取り上げ，分析していく。それを通して社内の空間的秩序と，その合理的特徴について引き続き明らかにしていく。

3 作画机についている他者への話しかけとその理由

本節では作画机についている者に対して話しかけがなされる事例について分析を展開している。第5章において作画机が原則的に個人的な空間として構造化されていることを指摘し、本章の前節ではX社のスタッフたちが互いの作業を中断させないことに志向していることについて言及してきたが、それでも作画机の並ぶエリアにおいて会話がなされないわけではない。本節ではそうした作画机においてなされるやりとりを含む活動を分析し、そこで成員たちがどのような規範に志向しているか、そしてその合理的特徴について議論していくことにする。第1項で仕事上の相談を、第2項で共通の趣味を有している者同士の会話を取り上げることにしよう。

■ 3-1 仕事上の相談

本項では仕事上の相談を理由として話しかけがなされる事例を扱う。

4月1日20時12分、他社から阿部に対して電話連絡があった。以下でみるように、その内容は藤川とも関係するものだった。そこでなされたのがフィールドノート6-5のやりとりである。まずはその内容から分析していこう。

阿部は藤川の机に行って席についている藤川に話しかけ、先ほどかかってきた電話の内容を伝えている。その内容は、阿部と藤川が共に関わっている作品の動画作業の締切が、当初伝えられていたよりも早まるというものだった。このイレギュラーな事態に対処するため、阿部は藤川の作業の状況を確認し、残っているカットのうちどれくらいが二人で処理できるかについて相談を行っている。その結果として1カット分が間に合わないという結論になり、阿部はそのことを取引先に電話で

●フィールドノート 6-5

FN20170401：2020　阿部さんから藤川さんへの相談

阿部さんが藤川さんの机に行って話しかける。先ほどかかってきた電話は、取引先から動画の期限を早めるとの連絡だったらしい。二人は応接室側テーブルに移り、そこで残っているカットを広げ、阿部さんは藤川さんがどこまでできるかについて相談している。話し合いの結果、1カット分は期限に間に合わせることが難しいということになり、阿部さんは入口側の電話で取引先にその旨を伝えた。

伝えている。

　ここでは，阿部と藤川が同じ作品に従事しているということが話しかける際の強い理由になっている。それも，スケジュールが早まってしまったことにより，当初こなせる予定だった作業がこなしきれない可能性が生じているため，いち早く情報を共有して対策を立てる必要がある。この事例においては，スケジュールの前倒しというイレギュラーな事態を解決するために，藤川の作業が一旦中断されるとしても話しかけることが正当化されていると思われる。実際に，阿部が話しかける際には藤川に対してスケジュールの前倒しという，藤川にとっても問題である事柄を説明しており，これにより藤川の作業が中断されることの正当性が説明されているのである。このように，作画机についているアニメーターに対して話しかけがなされるには，単に用件があるというだけではなく，その用件が当該のアニメーターによって解決されることができる／解決されるべきであることが理解可能な仕方で示される必要がある。

　さらにこのやりとりと空間的秩序の関わりについて分析を進める。これまで述べたことはそれ自体がすでに作画机という個人的空間への介入の方法であるということができるが，こうした事例は前章まででも何度も扱ってきた。またアニメーター同士が作画机で相談をする事例はいくつかみられたが，その際，相談内容は相談をもちかけられたアニメーターの席上で解決しており，相談をもちかけられた者が移動をするようなことはなかった。

　しかし阿部と藤川のやりとりの事例は，まさにその相談をもちかけられた側が移動を行っている例である。この一連の活動における二人の動線については図 6-4 に示した通りである。

　阿部は藤川に話しかけたのち，具体的に残っているどのカットまでは処理できるかという相談の本題に関しては，応接室側テーブルに移動して，テーブルにカットを広げながら話している。この事例において相談をもちかけられた藤川も移動していることの理由には，他ならず藤川がこなすべき仕事であるからとか，阿部の方がベテランであるから，という根拠を持ち出して説明することも可能であるが，それではなぜわざわざ応接室側テーブルを利用することになったのかに関して十分な説明とならない。それだけであれば，作画机上で口頭で相談を済ませることも可能であったはずだからである。

　ここで重要であるように思われるのは，阿部が応接室側テーブルにカットを広げて，それを藤川とともに確認しながら相談しているということである。このような

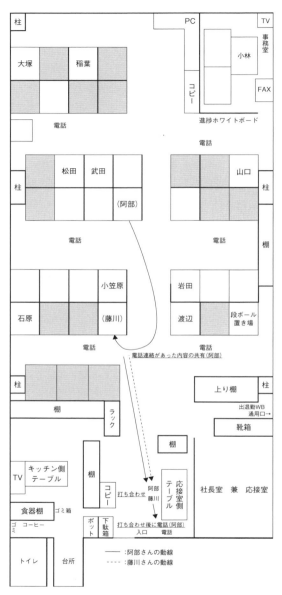

図6-4　阿部さんと藤川さんの移動（4月1日20時20分）

方法を採ることによって，どのカットは限られた時間で処理が可能であり，どれは難しいのかという具体的な判断がよりやりやすくなる。ここではスケジュールの前倒しにより当初作業予定だったすべてのカットの処理が難しい可能性も想定されており，もしそうであるならば処理が難しいカットについては取引先に返却して，取引先の制作会社で作画を行ってもらうか，再度さらに別の制作会社に作業依頼をしてもらうかをしなければならない。このように場合によってはいくつかのカットを返却しなければならないという状況にあっては，一つひとつのカットを確認し，それぞれの難度などを吟味しながら残り時間で処理可能なカット数について想定し，かつ返却するならば具体的にどのカットになるのかを指定する必要がある。そのためにここではカットを広げながら打ち合わせをする必要が生じているのである。

　そしてこの複数の作画用紙を広げながら打ち合わせをするうえでは，まずもってその広さという点で個人の作画机よりも応接室側テーブルの方が利用しやすい。これを藤川の作画机で実行しようとするならば，単に狭くてそれぞれのカットを比較しにくくなることに加え，机上の作業中の作画用紙などについて一度片付けたりする必要が生じ，作業の進行に対して必要以上に干渉することにつながってしまう。さらにこの打ち合わせは実際にカットを見ながら行う必要があるため，一定の時間をかける必要があることがあらかじめ想定できる。その点で，個人的空間としての作画机上で打ち合わせを行い続けるよりも，仕事に関する会話をするスペースとしての応接室側テーブルを利用することが合理的になっているのである。

　また，ここで作画机ではなく応接室側テーブルが活動のなかで利用されることによって，それぞれの空間がもつ規範的意味がここでも遂行されることになる。ここで阿部と藤川が応接室側テーブルを利用して打ち合わせを行うことによって，その空間がもつ意味が再度構成されるのである。

　さらに，このスケジュールの前倒しの結果として，カットを無理やりに抱え込んで処理するというのではなく，1カットではあるが返却する意思決定がされていることも，労務管理の実践上は重要なことである。この阿部と藤川の打ち合わせはあくまで互いが処理できると考える範囲を考慮しながらなされたものであり，この点においても相手の作業への干渉を最小化しようと配慮しながら，スケジュールの変更がなされているのである。

　本項では，仕事上の相談という，原則として業務上必要な事柄を取りあげ作画机につくアニメーターへの話しかけを取り扱ってきた。これらの知見からすると，業務上必要がない限りは作画机についているアニメーターに対して話しかけがなされ

てはならないという形で空間的な秩序が成り立っているようにみえるかもしれない。言い換えれば，作画机の空間的秩序は「仕事空間」と記述した方が適切であるのかもしれない。この知見はおおまかには当てはまるともいえるが，次項ではそうした業務上のやりとりではない話しかけについて分析を行う。そうすることで，作画机という空間が仕事をする空間である以上に，これまで何度も指摘してきたように，個人的空間として秩序立っていることについて論じていきたい。この「仕事空間」と「個人的空間」との差異を見出すことが，次項での課題となる。

■ 3-2　業務以外のやりとり

　本項では，作画机の置かれたエリアでなされた会話のうち，業務関係のものではないやりとりに注目する。本書のこれまでの内容で取り扱ったアニメーターやスタッフ同士のやりとりは，多かれ少なかれつねに業務に関するものであったといえる。これらを総合すると，作画机では業務関係ではないやりとりをすることが許容されておらず，キッチン側テーブルにおいてのみ許容されているようにも思われるかもしれない。

　しかし，たしかに事例としては多くなかったものの，作画机で業務とは関係のない話題が話されることもまったくなかったわけではない。こうした事例がどのように可能であったのかは，社内の空間的秩序を分析するうえでは重要であろう。

　まずは以下の事例をみてみよう。以下は1月24日13時56分のフィールドノートの抜粋である。フィールドワークをしているなかで，X社内では必ずしも業務と関連のない者のやりとりがいくつか見られた。そのうちの顕著な例の一つが，阿部・石原・岩田という3人のベテランたちが，少女マンガ雑誌を回し読みしていることであった。そこに掲載されている作品は，フィールドワーク当時にX社内で請け負われている作品とは関係がなかった。そうしたなかで，フィールドノート6-6のようなやりとりがあった。

　ここでは岩田が石原の席に移動している他にはスタッフの動きはないので，配置図については割愛する。岩田はマンガ雑誌を持って石原の席まで移動し，石原にマンガ雑誌を手渡している。ただこれだけのやりとりではあるが，このマンガ雑誌を渡す活動は業務とは関係ないにもかかわらず，石原の作画机において会話が起きている。そしてこの活動に対して話しかけられた石原がとがめていたりもしなければ，このとき同じ通路には藤川もいたが，藤川もとくにこの一連の活動に対して何か反応を示していた記録はされていない。ひとまずここでは，作画机において仕事以外

●フィールドノート 6-6

> FN20170124：1356　岩田さんから石原さんへのマンガ雑誌の受け渡し
>
> 岩田さんが石原さんの席にマンガ雑誌を持って行く。岩田さんは「これど
> こに置いとけばいいかな？」と尋ねると，石原さんは「じゃあここらへん」
> と言う。岩田さんが離れたあと，石原さんはそのマンガ雑誌を読んでいる。

の会話をすることが必ずしも固く禁じられているわけではない，ということがわか
るだろう。この点で，作画机エリアという空間がいくらかは業務以外の会話を許容
していることがわかる。つまり，作画机の空間的秩序について，それが成員たちが
どのような秩序に志向することによって達成されているのかという問題を考える際
に，「個々人が仕事をするための場」であることに志向しているという答えを出すこ
とは，微妙に的を外していることになる。少なくともこの岩田の事例に関しては，
マンガ雑誌を渡す活動は他者からのとがめを受けたりすることなく，適切になされ
ている。

　とはいえ，こうした話しかけが相手の作業の中断を伴うことについては，業務に
関する会話であろうとそうでなかろうと変わらない。こうした条件と関連して，岩
田の石原への話しかけには，業務上話しかける場合と同じ方法が用いられているこ
とがわかる。

　まず，岩田は話しかける際に「これどこに置いておけばいいかな？」とマンガ雑
誌を手に持ちながら話しかけている。「これ」という指示語で指し示されているの
はこのマンガ雑誌である。ここでは，阿部も含めた三人がマンガ雑誌の回し読みを
しているという日々の活動を前提としたうえで，岩田の話しかけがその活動の一環
であることが理解可能な仕方で話しかけがなされている。つまり，マンガ雑誌が手
に持たれていることで，岩田が石原の作画机まで来たことが，その回し読みと関連
した活動であることがわかるようになっている。

　さらに岩田が話しかける際に，「どこに置いておけばいい？」と尋ねていることも
重要である。このフィールドノートの抜粋のあと，岩田はすぐに自分の席にもどっ
ている。これ自体が石原の作画机という空間への配慮としてみることもできるが，
「どこに置いておけばいい？」という問いは，これ自体が話しかける理由であると同
時に，その話しかけた用件がどのようにすれば終了するのかをあらかじめ示す問い
にもなっている。つまり，岩田の用件は他の何でもなく，そのマンガ雑誌を置くと

いうことで一旦終了する。そしてこの用件の終着点が予示されることで，岩田が話しかけてよい活動の幅が枠づけされるのである。岩田がマンガ雑誌を渡す活動を終えたあとすぐに自席に戻ることは，こうした相手の作業を中断させる際の理由の枠づけ方とも大きく関わっているのである。

　このように用件を示すとともに話しかけ，用件が終わるとともにその空間から立ち去るという一連のシークエンスは，その内容が業務に関するものである場合と変わらない。この点で，マンガ雑誌を渡すという活動も，作画机における空間的秩序に志向した活動の一つであるということができるのである。

　加えていうと，業務に関する用件ではなくても業務に関するときと同じ話しかけの方法が用いられるということは，用件にかかわらず，作画机についている個人に対して必要以上の干渉が起きないように配慮を示す必要がある，ということを示してもいる。この点で，作画机でなされている活動が何であっても，その活動に干渉をする者はそれに対する配慮を示しながら干渉を行う必要がある。言い換えれば，作画机は仕事をする空間である前にまずもってそこに席をもつ個人が占有する場という意味で「個人的空間」になっており，その空間に立ち入る際に干渉をできる限り少なくするという方法を用いることは，X社のスタッフたちが日々の活動のなかで互いに空間の管理に従事しているということも示している。

　ここまででひとまず作画机が仕事をする空間というよりも個人的空間である知見を示した。ここで重要なのは，X社のスタッフたちが従事しているのは社内の空間を直接管理するという活動ではなく「人」に配慮をしているということであって，その帰結として作画机の空間的秩序ができているということである。

　つまり，作画机があってもそこに人が座っていなければ，そこには個人的空間としての秩序は生じないことになる。ここから導かれるのは，スタジオ内で作業をしているアニメーターの数が極端に少ないような場合，職場における空間的秩序は違った形で構成されるということである。実際，これまでに本書で分析してきたのは，おおむね昼から夜の，アニメーターが比較的多く在席している時間帯であった。しかし本書のために実施したフィールドワークでは，24時〜翌日5時という，深夜帯にも調査を実行している。この時間帯はそれよりも前の時間帯と比較して，在席しているアニメーターが少ない傾向がある。

　以下では本節の最後の分析として，そうした時間帯において起きた例外的といえる空間の使用についてみていきながら，さらに空間的秩序の詳細について明らかにしていく。

　分析するのは，4月7日の深夜3時13分に記録されたフィールドノートである（フィールドノート6-7）。この時間帯，X社内で作業をしているアニメーターは5人であった。会話が始まった際の動線とそれぞれの位置に関しては図6-5に示してある。

　松田が荷物をもって席を立ち，退勤しようとした際，小松が松田に話しかけた。そこで会話がはじまり，少しして岩田がそこにやってきて会話に参加する。そこでなされている会話について詳細には記録していないが，岩田が出している話題は電車の事故や母の骨折など，ひとまず業務に関連しない内容となっている。

　ここでは3名が作画机のあるエリアで業務に関連しない会話をしていることがすでに特徴的であるのに加え，会話が非常に長く続いていることがこの事例を際立たせている。この会話は，3時42分まで続いている（FN20170407：0342）。キッチン側テーブルや応接室側テーブルであれば，1時間近く会話が展開されることはあるが，作画机のエリアでこれほど長く（29分）業務に関連のない話題が話され続けることはきわめて例外的である。

　この活動がなされているとき，空間的秩序はどのようになっているのだろうか。まず，この活動の端緒となった小松の松田への話しかけから分析していこう。小松が話しかけを行ったのは，彼女自身の作画机を松田が通りかかったところにおいてである。このとき小松は，椅子に座ったまま松田に話しかけており，この会話は小松の個人的空間において発生したものだと考えることができる。まずもって小松が管理する空間に松田がふれたからこそ，小松は松田に話しかけることができたとみることができる。この点で，この事例は作画机についているアニメーターの方から他者に話しかけるという意味でも例外的な事例となっている。逆にいえばこれも作画机の個人的空間としての性質と密接に関わったものであるといえる。

　さらに，ここで小松が話しかけているタイミングは，松田が退勤しようとしてい

◉フィールドノート6-7

FN20170407：0313

松田さんが退勤しようとすると「帰るの？　危ないよ？」と小松さんに話しかけられる，そこに岩田さんも混じって小松さんの席あたりで雑談する。岩田さんは最近あった電車の事故や，お母さんが骨折していることなどを話している。

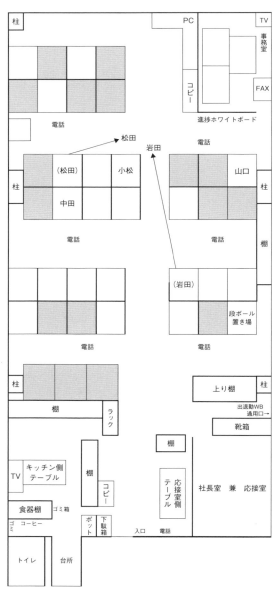

図6-5　松田さん・岩田さんの移動（4月7日3時13分）

たときである。ここで小松が何も話しかけなかったのであれば，松田は立ち止まら
ずスタジオを出ていたものと思われる。ゆえにこの小松の話しかけは松田の活動を
明らかに中断してはいる。だが，小松は「帰るの？　危ないよ？」という形式で話
しかけることによって，一人で深夜帯に外に出ることの危険さをマークしている。
これによって小松は，話しかけることをするとともに松田の退勤を中断させること
の理由を示してもいる。こうした一連のワークによって，小松は松田の退勤を中断
させつつ話しかけることの正当性を担保している。

　加えて再度ふまえておきたいのが，この話しかけがなされた場所が小松の席であ
るということである。上記で小松の話しかけが退勤の中断であるとは述べたが，本
書のこれまでで扱ってきた話しかけによるアニメーターの活動の中断と異なるのは，
話しかけられた相手が座席についていないということである。このように移動して
いるアニメーターに対して席についているアニメーターが話しかけるという事例は
他にはみられないものなので，この事例だけからは十分に妥当性を判断することは
難しいが，少なくともこの事例では中断される活動が作画机上でなされているもの
ではないということが，他者からの中断を可能にする資源の一つになっていた可能
性がある。また，一方で小松の側もそれまでに進めていた作画の作業を中断して話
しかけを行っているわけであるが，この中断に関しては，当の話しかける側である
小松自身が自ら作業を中断させている形を取っているので，少なくとも松田が小松
の後ろを通ったことによって作業が中断したということにはならない。

　一旦まとめると，ここでは小松の個人的空間を起点として話しかけが起こってい
るが，多くの事例では話しかけられる側に空間の占有権があるのに対して，ここでは
話しかけている側に占有権があることがこの現象を特徴づけていること，そしてそ
の一方で話しかける際にそうするもっともな理由が示されつつ話しかけがなされる，
ということに関してはこれまでみてきた事例と同様であることについて指摘できる。

　次に，ここに岩田が参加してくることについて分析していこう。小松と同様，岩
田も自身の作業を自ら中断させて，小松の席周辺で会話に参加している。岩田のこ
の会話への参加は，この時間帯における社内の秩序を示すものとして顕著な特徴を
もっている。というのも，岩田が会話に参加した際，岩田が占めている位置は，縦
横に連なる通路の中心であり，社内スタッフであれば誰でも通過しうる空間だとい
うことである。事務室や，スタジオの最奥部の通路（大塚や稲葉の席がある通路）に
人がいれば，その者たちが飲み物を取ったりトイレに行ったりする際に通過しなけ
ればならないし，座席が入口寄りにあるアニメーターも，進捗ホワイトボードを更

新したり PC を使用したりする場合には岩田が占有している場を通過する。つまり，岩田がそうした場に立っているということは，その場を他の誰かが通過する可能性について志向していないということを表示することになる。こうした岩田の立ち位置から示されている志向は，社内で作業している人数が 5 人と少ないことを条件としたうえで可能になっているということができるだろう。

　しかし，人数が少ないとはいえ，会話に参加していないアニメーターとして山口と中田がいることは重要である。とくに山口の座席は飲み物を取ったりトイレに行く際に必ず岩田が占めている位置を通過しなければならない場所にある。つまり，山口は岩田が通路の交差点を占める際に配慮を示されるべきアニメーターの一人なのであるが，岩田はそれにもかかわらず交差点を占めてしまっている。この点で，図 6-5 の状況は，潜在的にコンフリクトを孕んでいる状態ということができるのである。これまでの事例ではどのスタッフも作画机についている他者に対してきめ細かく配慮を成し遂げていることを扱ってきたが，この事例においてはそれが十分な仕方ではなされていないことがみてとれる。

　ただし，会話が続いていた 29 分間に岩田の位置を山口と中田が実際に通過することはなかった。このこと自体はあくまで偶然的なことではあるが，一方で山口と中田がそこを通過しないだろうという期待それ自体は，ある程度妥当なものであったともいえる。しかしその期待はそこを通りうる人数が少数であるという制約によって可能になっているものでもあり，この制約のもとでイレギュラーな形で集まりや会話や起きることが，深夜帯の秩序の独特さを特徴づけていたといえるのである。そしてそこで成り立っている秩序は，昼や夕方における秩序よりも，他者への配慮を徹底しない形でなされているということができるのである。

　ここから考察として指摘できるのは，X 社ではアニメーターたちの労働時間について強く制約せず，裁量に委ねているが，このことが個々のアニメーターの作業に配慮をする秩序の維持という観点では逆機能をもたらしている可能性があるということである。言い換えれば，労働時間の裁量を与えることは，働く時間の決定に関しては自律性を担保しているものの，個々のアニメーターが作業を阻害されないという水準での自律性に関しては，むしろ損なう方向に作用している可能性がある。つまり，労働時間に関して規制を行う方が，アニメーターがスタジオにいる間快適な作業環境を確保するという意味では，望ましい方向性である可能性が示唆されている。

　しかし，本章最後の分析の節となる次節では，そのように安直に労働時間を規制

すればよいという議論を立てることにも，また一考の余地があることについて述べていきたい。ここまでを通した分析ではX社のスタッフたちの一つひとつの実践において何が解かれているのかをその実践に即して分析することを試みてきたが，そこで用いられているアニメーターの作画机を中心とした空間的秩序に配慮する方法自体に，労働時間を長くしてしまう効果があることを次節では指摘する。しかし本書において徹底している方針として，そうした方法が不合理な何かであるものとして扱うという方針はとらず，それがもっている合理的特性とは何であったのか，改めて述べることにする。そしてその合理的特性にこそ，アニメーターたちの経済活動の基盤があり，我々がアニメーション産業の労働問題について構想する際の出発点とすべきものであることについて結論で述べる。

4 話しかけの中断

　本節では，スタッフたちが作画机についているアニメーターたちに用件があるにもかかわらず，話しかけを中断する事例について扱う。これまで扱ってきた事例においては，話しかける際にそのつどの配慮を話しかける側が行うとはいえ，結果的には相手の作業を一時中断させてやりとりを行っていた。しかし一方で，話しかける側がそもそも話しかける活動を中断するという事例もいくつかみられた。それはどのような事例かというと，話しかけられる側のアニメーターが作画机に突っ伏して寝ているときにおける事例である。

　フィールドワークを行っているなかで，アニメーターがスタジオ内で眠っている事例はいくつもあるが，そのアニメーターが起こされたり，注意されたりすることは一度もみられなかった。このこと自体は，本書がこれまで分析してきた事柄からすれば，それほど驚くべきことではない。X社のスタッフが他のメンバーの作業に干渉しないようにつねに配慮を示した活動を行っていることを何度も示してきたが，作画机についている者が寝ていても，それ自体が他の机で作業している他者への干渉になることは考えにくい。そもそも相手の活動を中断させることは何らかの理由があるときにのみなされていたのであり，たとえ寝ているアニメーターを起こすのだとしても，そこには何らかの用件が必要である。

　しかし以下でみるのは，相手を起こす用件があるにもかかわらず，それが中断される事例である。

　分析するのはフィールドワークの最終日であった4月20日の19時40分に記録

●フィールドノート 6-8

FN20170420：1940　寝ている村田さんへの話しかけの中断

松田さんが小林さんに作業上不明な点について質問している。小林さんは「村田さんがやってたから聞いてみよう」と言って，村田さんの席の方にいくが，村田さんはそのとき寝ていた。小林さんは「あっ寝てた」と言って，聞くのをやめた。松田さんも笑っていた。

されたフィールドノートである（フィールドノート 6-8）。まず松田が小林に質問しているとあるが，これに関しては前後に起きた出来事について補足が必要である。松田と小林，そしてそれに加えて小笠原は，この抜粋の10分前の19時30分に，3人で作画関係の資料を見ながらPC付近で話をしていた。そしてこの抜粋から約1時間後の20時38分には，3人は共に一旦外出して，22時40分頃になってスタジオにもどってきている。社内で資料を見て話してから共に外出していることから，これらは他社との打ち合わせに向かう活動の一部であったと理解できる。3人がどこに向かっていたのかに関しては筆者は把握できていないが，少なくともこの抜粋の時点においては，松田がこれから関わる作品についての調整が進められているところであった。そうしたなかで，10分前に3人で話していた内容について，松田が小林に質問をしているのである。

　また，松田が小林に質問をしている場所もまた特殊である。フィールドノート6-8の一連の動きは図6-6に示してある。まず注目したいのは小林が動き出している位置である。当初松田と小林は，事務室側コピー機の正面にある作画机のところで話をしていた。この作画机は調査期間を通して出向していた者の机で，この時点においては誰にも利用されていない。しかしこのときには，作画資料の絵がその机に並べられていた。松田が小林に話しかけたときには小林がこの資料を整理しており，そこに松田が自身の作画机から移動してくる形で話しかけがなされた。つまり，出向者の机に資料が並べられていることが，まずもってこの松田と小林のやりとりの資源になっている。これは応接室側テーブルに並べられた資料が資源となってそこで仕事関係の会話がしばしばなされることと類似している。

　そして松田は，小林に作品に関する質問を行っている。この質問の内容が何だったのかについて詳細な記録がされていないが，小林は「村田さんがやってたから聞いてみよう」と述べており，少なくともその質問の解決が村田によって可能である

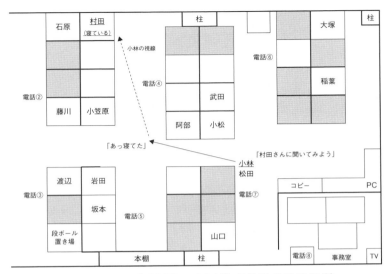

図6-6　小林さんの移動と話しかけの中断（4月20日19時40分）

とみなされていることがわかる。この一連のやりとりによって，小林は村田に話し
かける用件を得たことになる。そして小林は移動し，村田に話しかけに行くが，阿
部の席の横を通ったあたりで村田を見ると，「あっ寝てた」と言って話しかけること
を中断している。

　ここでは明らかに，村田が寝ていることが話しかけることができない理由として
用いられており，かつ松田にもそうしたものとして聞かれているといえる。という
のも，まず小林が「あっ寝てた」と発話する空間的な位置は阿部の席を通りかかっ
たところであるが，当初小林と松田がいた位置からすると，この阿部の席を通りか
かったところという位置が，はじめて村田の状態を目視することができる位置であ
る。他ならぬこの位置に至った瞬間に「あっ寝てた」と述べて立ち止まることは，
単に村田の状態を記述しているだけではなく，小林が村田に尋ねることを中断した
理由の説明にもなっている。そして他ならぬ松田がそれに対して笑うことで応答し
ており，小林の発言が松田に対してあてられたものでもあることを示している。つ
まりここにおいて村田が寝ていることは，村田に用件があっても話しかけられない
理由として，小林と松田の両方にとって理解されているということがこの事例では
示されている。

　これまでの事例では用件がある限り話しかけはさまざまな方法が用いられながら達成されていたわけであるが，なぜこの事例ではそもそも話しかけが中断されたのだろうか。おおまかにいえばこれも寝ている相手を起こさないという配慮の一つであるといえるが，そこでどのような方法が用いられているのかが重要である。

　まずこの事例がこれまでに扱ったものと比較して特殊なのは話しかけられる相手のアニメーターが寝ていることであるが，実際に観察されるのは「村田が机に突っ伏していること」であって，本当に村田が睡眠しているのかどうかは定かではない。しかし，本当に村田が寝ていたのかどうかはここでは重要ではない。というのも，もしそれが重要なのであれば，小林は村田が本当に寝ているのかどうかを近くまで行って確認することもできたはずである。しかし，小林は離れた位置から村田が机に突っ伏していることだけを観察し，それに「寝てた」という記述を与えている。ここにおいては，寝ているかどうかよりも相手の身体的志向（身体を起こしているか／机に突っ伏しているかなど）が観察されており，この身体的志向の状態によって村田は寝ていることにされたのである。つまり，作画机についているアニメーターの身体的志向は，その場の空間的秩序を構成する一要素になっているのである。そして，身体を突っ伏していることは，そこにつくアニメーターへの話しかけ自体が遮断されるべきであることを示していることが，村田への話しかけの中断の事例によって示されるのである。

　このことを逆に考えれば，これまで作業中とはいえ身体を起こしているアニメーターに対して話しかけがなされたということは，話しかけられる側にとってはあくまで主要な活動は作画机上でなされている作画などの作業であるとはいえ，そこに用件をもった他者からの話しかけがなされることもあらかじめ準備された状態であったということができる。そして，主要な活動が話しかけられた内容ではなく，あくまで作画机上でなされている活動であるからこそ，話しかける側の者は相互行為上の方法を用いながら干渉を最小化する形で話しかけを行っていたとみることができるのである。このように話しかけやその中断は，話しかける側の実践のみによって成り立っているのではなく，話しかけられる側があらかじめ示している身体的志向の示し方によっても成り立っているのであり，この意味でX社において他者の作業に配慮をすることを軸とした空間的秩序が成り立っていることは，まさに共有されたワークスペースの構成と呼べるものなのである。そしてこの秩序はX社の成員があらゆる活動において不断に遂行しているものであって，そうであるがゆえに経済活動の基盤ともなっているのである。

　ここまで空間的秩序の分析をひたすらに進めてきたが，その実践上の意義について
も簡潔に述べておこう。寝ている労働者をたとえ用件があっても起こさないとい
う活動は，これまで労働研究が扱ってきたさまざまな職場においても多くみられる
ものではないだろうし，労働者の自律性を大いに尊重した活動であるといえるだろ
う。現にこの活動も，作画机についたアニメーターの作業に配慮するという規範の
もとでなされたものの一つだといえる。しかし一方で，寝ている者を起こさないこ
とは，アニメーターがスタジオ内にいる時間をいたずらに長くしてしまうことにも
つながる。筆者はこのことを単純に批判したいのではない。重要なのは，X 社にお
いて作動している規範を皆が用いる際に不可避的な帰結の一つとして，アニメー
ターたちのスタジオへの在席時間（もしくは，労働時間）が長くなってしまうという
ことである。つまり，X 社の事例全体において示されているのは，個人の裁量を尊
重するようメンバー同士が努める結果として労働時間が長くなっている可能性があ
るということであり，この現場に労働時間を短くせよと述べるのは相当に安直な方
針を示していることになるということだ。アニメーターの労働現場において基底的
であるのは各々の作業を尊重することであり，これが彼らの経済活動の基盤になっ
ている。アニメーターの労働問題について現実的に改善の方向を模索するのであれ
ば，スタート地点はここに設定され，これを所与の条件として考えていかなければ
ならないのである。

　もちろん本書の主眼は規範的な議論にはなく，その出発点を示すことに意義を主
張している以上，規範的な議論に本格的に踏み込むことはしない。しかし少なくと
も，入れ替わりの激しいアニメーション産業において 40 年もの間活動を続けており，
かつ現状で業界全体の問題としていわれている人材育成にも取り組んでいる X 社
を一つの事例として学ぶことは，本書の範囲を逸脱するものではないだろう。次節
で本章の内容をまとめたうえで，終章では若干のインプリケーションについても述
べていきたいと思う。

5　結　　論

　本章では，社長やマネージャーに限らない X 社のメンバーの話しかけや会話に
伴う空間的秩序について分析することによって，前章までででもみられていた個人の
裁量への配慮が管理者だけによってなされているのではなく，メンバーみなにとっ
ての課題としてあることを示してきた。

　第2節ではキッチン側テーブルと応接室側テーブルにおいてなされた会話を取り上げた。この両方においては比較的多く会話が起きるが，前者では業務に関連しない会話も頻繁になされるのに対して，後者では机に置かれた資料を参照しながら会話がなされることと関連して，業務に関する会話だけがなされることを指摘した。これによって，会話を許容する空間といっても，各々にそこでなされてよい会話が配分されているということを明らかにした。

　第3節では作画机についているアニメーターへの話しかけについて分析し，その際に相手の作業を中断させる正当性を明示することで作画机という個人的空間への配慮がなされていること，そして作画机では一見業務に関する会話だけが許容されているようにみえるが，上記の方法を用いれば必ずしも業務に関連しない話しかけであっても適切に達成されることを示した。

　第4節では例外的に用件があるにもかかわらず話しかけが中断される事例について分析し，話しかける側だけではなく，話しかけられる側も身体的志向を示すことで話しかけを遮断することが可能になっており，一連の話しかけやその中断が，話しかけられる側だけではなく話しかけられる側の技法によっても成り立っており，この点でどの話しかけやその中断の実践も共同的に産出されたものであることを示した。

　これらの分析から，X社における空間的秩序はX社の成員があらゆる活動において不断に遂行しているものであって，そうであるがゆえに経済活動の基盤ともなっていることが明らかにされたのである。

　以上の内容で，本書における一連の分析を示したこととなる。終章では，本書全体の議論をまとめたうえで，本書のインプリケーションと残された課題について論じる。

07 終章：本書の要約とインプリケーション

　本章では，これまで議論してきた内容を受けて，その議論のまとめと，実践的な問題へのインプリケーション，そして本書に残された課題についてまとめる。

1 本書の要約

■ 1-1　各章の内容の要約

　本節では，本書の各章の内容を振り返り，結論をまとめる。

　序章では，近年のアニメーターの労働問題を捉えるうえでの論点を設定し，本書の理論的な視点を提示した。第1節では，アニメーターの労働問題を議論するうえでの本書の論点を設定することを試みた。アニメーターの労働については，その組織の内実を問う視点が蓄積してこなかった。とくにアニメーターの場合，多くがフリーランスでありながらもスタジオに集って働くということが特徴であり，そこでいかにして自らの仕事に関する自由と集って働くことを両立させているのかという点が問題になり，それを可能にする職場の道徳性を捉えることが重要であることを示した。

　第2節では，職場の道徳性に関する労働社会学の知見を検討した。とくにマイケル・ブラウォイの同意生産論に着目し，職場に存在している規則と，それを用いる実践を捉えることが重要であることを示した。そのうえで近年の優れた業績であるミアーズの研究を検討した。ミアーズの研究は仕事に直接関わらない職場外のやりとりでも同意生産が行われることを示した点で重要であるが，そうした同意が破綻する際の実践の記述が十分になされていないために，本来の関心であるはずの不払い労働への批判がうまく構成できていないことを指摘した。

　第3節では，労働社会学における適切な記述の不在を乗り越える方針として，社会学におけるエスノメソドロジーの視点を検討した。社会的行為の説明可能性や相互反映性に着目するエスノメソドロジーでは，行為とそれがなされた状況がいかに互いを理解可能にし合っているのかを分析せねばならず，これこそミアーズに欠落していた視点であった。そのうえで，本書では働く場所という論点が含まれていることから，エスノメソドロジーのなかでも成員の空間使用に着目したサッチマンの「共有ワークスペースの構成」という考えを取り上げた。そこでは，職場の物的環境を成員が資源としながらその場の秩序をいかに達成しているのかが重要な問いとなる。一方でこうした実践の詳細に着目する議論は労働研究者からみればその職場の労働の内実を捉えたものとはみなされないこともあるが，実践の詳細を通して達成される秩序を記述することは，その職場や労働がどうあるべきかといった規範的議論の基盤を用意するものでもあり，むしろ重要な課題であることを指摘してきた。

　第1章では，アニメーターという労働者について理解するための基本的な情報について整理した。アニメーターは，雇用形態上は独立自営業者でありながら，他職種も含めた分業システムのなかで働く労働者であり，かつスタジオに集って働く労働者であることを確認した。こうしたことから，「組織の一員」としてアニメーターを把握することの適切さを指摘した。

　第2章では，本書における研究対象である作画スタジオX社に対する調査内容と，X社についての基本情報を整理した。筆者は2017年1月から4月にかけて，合計37回，計164時間ほどのフィールドワークを行い，そこでなされている成員の活動をフィールドノートに記録し，その他にもアンケート調査，インタビュー調査，ビデオ撮影などを行った。X社は40名のスタッフを擁する作画スタジオだが，半数以上の者が出向している状態であり，40名全員がスタジオ内にいることはなかった。さらにアニメーターに加えて，経理担当者2名とマネージャー1名が配置されていた。また，空間的構成という点では，作画机を中心に仕切りや棚などによって視界が遮られる場が多く，これが本書全体にとって重要な条件となることも指摘した。さらにアニメーターたちの労働意識について取り上げ，多くのアニメーターが高い満足度を有している一方，他者からのまなざしやマージンなどによって緊張が内包されていることも指摘した。

　第3章からが分析の本編となる。第3章ではX社における作画机上でなされている活動について焦点を当てた。アニメーターたちは勤務日の大半を作画机における作業をして過ごすが，そこでなされている各々の作業は，他社の大勢のスタッフ

との協働のなかでなされているものであり，それが作画机の上でいかにして完結するのかを扱った。その結果として，他社のスタッフと打ち合わせなどをする期間は作画作業の前後におけるあらかじめ定まっているタイミングであり，それは定まった形でなされていること，そして作画机上では詳細な設定資料を参照しながら描くことにより絵柄の統一がなされていること，さらに後工程の者に対して独自にアニメーターが指示を描き加えるという活動が観察され，これらの活動によって協働がなされているとみることができた。さらに社内の空間的秩序という観点では，アニメーターが作画机という仕切られた空間で正面を向いて作画作業に対して身体的志向を示していることによって，作画机がそこに席をもつアニメーターの「個人的空間」となることを指摘した。

　第4章では，X社における労務管理の実践について扱った。とくに，アニメーターたちの管理の役割を担っているマネージャーという労働者を対象とした。雇用形態上は個人事業主である者が集まっているX社であるが，それにもかかわらずX社においても労務管理といえる活動は頻繁になされていた。その労務管理はアニメーターたちが独力でフリーランサーとして働いたときに生じがちな，仕事の獲得における不安定性の解決や賃金交渉などを，マネージャーが代行するという形でなされていた。さらに，X社では特定のアニメーターが事情により仕事をこなしきれなくなったときに，残された仕事を社内で配分するという措置が取られるが，この活動においてもマネージャーが中心的な役割を担っていた。このようにアニメーターに対する管理がマネージャーによってなされる一方で，実際にどの仕事を請け負うかなどに関する決定権はアニメーターの側にあり，あくまでフリーランス性を尊重した管理になっていることも明らかになった。

　第5章では，X社における人材育成の実践について明らかにした。X社においては，社長が「クリエーターを育てる」ことに重点を置いていると述べているように，近年多くの制作会社で課題となっている人材育成につながるような指導がしばしばなされていた。作画指導は，社長から若手や先輩から後輩に対して主になされるが，つねに教えられる側が教える側のアニメーターの机に赴いて質問などを行い，指導もその場でつねになされた。こうした点で，指導もX社の空間的秩序に配慮しながらなされた活動であるとみることができた。さらにこのような対面的指導とは別に，納品の場である上り棚において，すでに納品された他のアニメーターの原画をその場で見るということがなされており，これも技能形成の機会となっていると同時に，空間的秩序に配慮した活動であることを指摘した。

　第6章では，社長やマネージャーに限らないX社のメンバーの話しかけや会話に伴う空間的秩序について分析した。作画机と比較して会話がよく起こるキッチン側テーブルと応接室側テーブルにおける会話の内容について分析し，それぞれの場において話されるべきトピックが制約されていることについて扱った。さらに作画机につくアニメーターへの話しかけにおいては，話しかけにおいて相手の作業を中断させる正当性を示す方法が用いられており，この方法を用いていればかならずしも業務に関連しない話しかけでも許容されていること，そして話しかけが話しかける側の技法だけで成り立っているのではなく，作画机についているアニメーターの身体的志向とも関わっており，話しかけはどれも共同的に産出されたものであることを指摘した。これらの分析を通して，個人的空間への配慮が管理者によってだけなされているのではなく，成員皆にとっての課題としてあることを示した。そしてX社における空間的秩序は，職場にいる成員が不断に遂行しているものであり，そうであるがゆえにアニメーターたちの仕事やX社の企業活動の基盤ともなっていることを指摘した。

■ 1-2　小　　括

　こうした議論を受けて，本書の問いであるアニメーターたちはいかにして自らの自由を担保しているのか，そして不安定性に対処するコミュニティを維持しているのかという問いに答えるならば，以下のようになるだろう。

　X社は，マネージャーによる仕事の管理・斡旋や，アニメーター同士での指導による技能形成機会の確保によって，不安定性に対処する仕組みを制度的に備えている。そして，さまざまな意思決定をアニメーターに委ねることに加えて，個々のアニメーターの作業が損なわれないように職場の空間的秩序をそのつどの状況に即して達成し続けることによって，相互の自由を担保していた。

　こうしたX社の実践は，少なくともそれがアニメーターの仕事が抱えている不安定性や，人材育成上の課題に対して一定の解決を示しているものである限りにおいて，重要である。本書最後の議論になる次節では，本書のインプリケーションについてまとめ，残された課題について指摘しよう。

2　本書の意義：私たちはX社から何を学べるのか

　本節では，本書を通して明らかになった事柄を受けて，近年のアニメ産業におけ

る動向や，本書の冒頭で提示した論点に対してどのような意義が導かれるのかについて議論したい。

■2-1　アニメ産業の未来：内製化とデジタル化をめぐって

とくにアニメ産業それ自体に関心のある読者であれば，X社の職場についてある種の伝統的なイメージをもつかもしれない。そして，目下アニメ産業において進行している変化を考察するうえで，どれだけX社の事例が意味をもつのかを疑問に思う読者もいるだろう。その点に本書がどのような貢献を果たしているかについて述べるところから，本書の意義をまとめたい。

実際，アニメ産業には二つの重要な変化が起こっている。一つが内製化，もう一つが作画のデジタル化である。

内製化は，作品制作を多数の企業やフリーランサーによる分業で行うのではなく，一つの比較的大規模な元請制作会社が複数工程を一手に引き受ける動向を指している。半澤（2016）によれば，2000年代に彩色や動画編集がPC上で可能になったことや動画の海外下請けが活発になったことにより，国内で原画や動画を専門に担う作画スタジオは経済的な苦境に陥った。その結果として，特定の工程だけを担う「特定工程特化型企業」は限界が訪れ，元請制作会社による内製化が進行すると半澤は予測している。重要なのは，その際に制作者も元請制作会社に集結することになり，キャリア形成についても企業の内部で進行すると考えられるため，フリーランスの活用よりも正規雇用化が進行していくと予想されている点である。

作画のデジタル化は，従来紙ベースで行ってきた作画作業を，PCとペンタブレットを用いてデータ上で行う作業工程上の技術革新である。アニメ制作は，2000年代までには作画工程以外の工程ではデジタル化が完了していた。そうした潮流のもと，ペンタブレットが紙と変わらない質感などを再現できるようになったことにより，徐々にアニメーターの側もデジタル化を受容するようになっている。制作会社によっては新人はデジタル作画に対応できる者のみ採用するという企業もある。デジタル作画はアンドゥー機能などによってミスした際の描き直しが容易であるほか，データ上で素材をやりとりできるため地方展開を可能にすること，制作進行による素材の現物運搬がなくなり進捗管理に集中できることなど多くのメリットが指摘されている（経済産業省 2017）。

上記の動向のもとで，X社はいずれにしても従来型の職場であるといえる。作画スタジオであるX社は半澤がいうところの「特定工程特化型企業」であり，かつデ

ジタル作画もほとんど導入されていない。アニメ産業の動向に詳しい読者であれば，むしろ内製化・デジタル化が進行した新興企業における実践がいかなるものかを知ることを期待したかもしれない。しかし，筆者としては，こうした動向があるからこそ，40年間企業を維持してきたX社の移行期における実践を記述しておく意義が大きいと考えた。

　というのも，X社が脆弱さを抱えながらも解決していたアニメーターの仕事の不安定性の回避と自由の確保というトピックは，基本的にはトレードオフの関係にあり，内製化・デジタル化が進行しても，今後も問題となり続けると思われるからである。内製化で正規雇用化が進行すれば，それにつれて労務管理が強化される蓋然性は増すことになるだろう。そのときには，仕事の不安定性については今よりも改善するかもしれない。だが，それまでフリーランス中心の労働市場でキャリア形成をしてきた，もしくはそうしたキャリア形成を予期して入職したアニメーターが，企業内的な労務管理を自らの自由への阻害として経験してしまわないかについては注意していく必要がある。

　また，デジタル化については，フリーランサーでは機材を用意する資金の問題があるため，実際には内製化とともに進行していくと考えられる。そのためまず上記の正規雇用化に関する問題が考慮される必要がある。それに加えて，地方展開などの働く場所の展開や，オンライン上での労務管理などの新たな動向がある。こうした動向に関して考慮すべきなのは，アニメーター同士のコミュニティを維持し続けることができるかという点である。正規雇用化の動向があるとしても，働き方それ自体はその労働者の生活全体と関わっており，そうした生活全体を一挙に変更することが難しいと考えられることから，フリーランスのアニメーターが一定勢力を占める動向は，今後もしばらくは続くと想定する方が適当である。そうなれば，今後もフリーランサーのコミュニティは重要なものであり続けるが，本書において指摘してきたのは，コミュニティの維持と物理的な集まりの形成が密接に結びついているという点であった。今後，データ上での素材のやりとりが可能になることによって，アニメーターは現在以上に対面的なやりとりをせずに仕事をこなす職種となっていく可能性がある。経済産業省と日本動画協会が協力して作成したデジタル化に関する構想でも，他者とのやりとりがオンライン上で完結する仕組みが目指されている（経済産業省 2017）。それは他者との干渉を少なくする点で自由をもたらすものである一方で，仕事の不安定性についてはむしろ増す方向に進んでいく可能性もある。その際に，集まりによって可能になっていた相互扶助がオンライン上で維持で

きるかどうかが，今後の論点として非常に重要なポイントとなってくるだろう。た
とえばゲーム産業においては，クラウドソースワーカーのオンラインコミュニティ
の事例などが報告されている（Schwartz 2018）。アニメ産業でそうしたコミュニ
ティ形成がなされるかどうか，今後注意深く動向を追っていく必要があるだろう。

　こうしたアニメ産業の未来を占う議論を着実に行っていくうえでは，学術的に一
貫した視点をもって知見を積み重ねていくことが重要である。本書では労働研究の
文脈で有力な議論として，働く場所と働き方に関する議論があることを序章で述べ
た。以下では，そこに差し戻す形で，本書の学術的な意味をまとめておきたい。

■ 2-2　集まって働くことの意味：働く場所の適切性をめぐって

　X社のアニメーターは，出向して他社スタジオで働いている者や少数の自宅作業
者を除いては，ほとんどがX社スタジオに集って働き続けていた。とりわけフ
リーランスのアニメーターという対象においては，まず集まって働いているのはな
ぜか，という問いが浮上してくる。というのも，第3章でのアニメーターの作画机
上での仕事や他社の制作進行とのやりとりから明らかなように，アニメーターの作
業やコミュニケーションは大半が作画机上で完結するからである。それでかつ働く
場所に関しても実際にはX社に来ることが強制されているわけでもない。

　しかし実際には，第5章で扱ったように，集まっていることによって若手が社長
や先輩に技術的な指導を依頼することが可能になっていた。同じスタジオ内に他の
アニメーターの成果物が置かれていることにより，それを一つの教材として学ぶア
ニメーターの姿があった。社長の小笠原自身も述べるように，集まっていることに
よるメリットがたしかに存在していた。そしてこうした指導や他者の成果物からの
学習も，固定席で仕事をしている他のアニメーターの仕事の進行が妨げられないよ
う配慮した形でつねに行われていた。

　序章では，近年の働く場所をめぐる論点において，テレワークやフリーアドレス
オフィスといった，働く場所やオフィス内の座席を自由化する方向性が社会的に注
目を集めていることを指摘した。こうした動向のもとでは，X社の職場はきわめて
従来的な空間編成を取っているといえるだろう。しかし，X社においては集まって
いることによる明確なメリットが存在し，そのもとでも相互の仕事の自由について
は確保がされ続けるようにX社の成員は相互行為を組織していた。

　本書の一つの意義は，働く場所という問題の適切さについて，アニメーターの組
織における人材育成や相互行為を通して遂行される秩序との関係から描いたことに

ある。筆者はテレワークやフリーアドレスオフィスの動向もまた重要と考えるが，そうした施策が導入された際に，その企業や職場で営まれている人材育成の機能が無理なく維持できるのかという点は，あらゆる職場において重要な問いとなってくるだろう。

このことは，働く場所について労働者個人との関係から考えるのはなく，集団との関係で考えるべきであることもまた本書が示唆したところである。集団で働いていれば，そこには必然的に成員間の相互行為が生じる。X社の事例は，従来的な空間編成をしていても，従業員間の相互行為のなされ方によって，一定の自由を保った職場を形成することが可能であることを示している。しかしその一方で，あくまでX社内の他のアニメーターに話しかけることはそれもまた慎重さを要する事柄として相互行為上で扱われており，実際に個々のアニメーターの自由を担保することは，その一つひとつの相互行為を通してそのつど達成されている。第6章で示したように，個々のアニメーターの固定席を個人的な場所として構成することすら，複雑なワークの積み重ねによる達成物なのである。現状の働く場所をめぐる議論において欠けているのはまさにこの点である。どのように働く場所をたくみにデザインしようとも，従業員間のやりとりはつねにそのつど達成されるものでしかない。働く場所をめぐる議論は，こうした職場の秩序の詳細をつねに捉えながら進んでいくべきだろう。

■ 2-3　働き方：フリーランサーのコミュニティという問題

本書ではX社がフリーランスのアニメーターが集う場であることをつねに強調してきた。序章で述べたように，フリーランサーは仕事の獲得や技能形成等において不安定性を抱えがちであり，それに対処するためにしばしば相互扶助的なコミュニティを形成していることが指摘されてきた。それに加えて，そうした相互扶助は必ずしも安定的なものではなく，たとえばイギリスのファンクション・ミュージシャンの事例では，経済的条件の悪化によりコミュニティが有していた仕事の斡旋という機能が損なわれてしまっていることが報告されていた。

こうした議論の動向との関連では，まずはX社もまたフリーランサーの相互扶助的なコミュニティの一例だと位置づけられるだろう。X社もアニメーターの仕事の不安定性への対処に重要な役割を果たしている。仕事の決定権がアニメーターの側に委ねられていることからもわかるように，実際にはX社はタレントをかかえる芸能事務所のような，エージェント機能を担っているものとして理解すること

ができる。そうした機能をもちつつ，単にアニメーターに仕事を紹介するのではなく人材育成の機能も有している。

　こうした理解のもと，X 社の一つの顕著な特徴といえるのが，そのコミュニティがアニメーターの自主的な集まりではなく，企業という形で営まれていることである。先行研究が指摘するフリーランサーのコミュニティは，いずれも近年生じてきたものであり，だからこそその持続可能性が重要な問題となっていた。それに対して X 社は，新興の小規模企業が設立されては倒産することを繰りかえすアニメ産業において 40 年以上の創業年数を誇っている。フリーランサーのコミュニティとしては非常に高い安定性を有している。

　本書では X 社のコミュニティとしての持続可能性の一端を捉えようとしてきた。実際，企業としてコミュニティを維持することには，さまざまなデリケートな問題を伴う。まずは運営に必要な資金を得るためにマージンを取ることが問題を引き起こしうる。また，安定性と引き換えに同一水準のキャリアのアニメーターと比較すると若干得られる報酬水準が低くなることを理由に，X 社から別のスタジオに移動するアニメーターも存在する。マネージャーのアニメーターに対する仕事の斡旋や報酬水準向上のための努力も，こうしたことを背景にしているといえるだろう。不安定性を解消することに重要な機能がある以上，もし仕事の斡旋がアニメーターの希望に即した形で遂行できないのならば，アニメーターの側の不満を大きく高めることになる。また，報酬については，その水準を向上すれば結果的に X 社側で得られる資金も増すことになる。こうした意味で，マネージャーとアニメーターの関係はマージンという経済的取引を通して制度化されている。単なる相互扶助ではなく，こうした金銭的やりとりを通した制度化を行ったことが，結果として X 社のコミュニティの安定性に寄与していると評価することはできるだろう。

　X 社では，若手の人材育成についても，調査時点ではほとんどを社長が一手に引き受けていた。これはイレギュラーな事態であり，X 社では新人アニメーターに対して指導担当の中堅アニメーターを配置するということを制度として行っていたが，調査時には担当できる余裕のあるアニメーターがおらず，社長が行っていたということになる。しかしこの人材育成上の施策については，それ自体に報酬が発生する形ではなく，指導担当のアニメーターが自らの作業時間の一部を割いて教えるという仕組みになっている。実際に社長も，指導の際には自身が遂行していた作業を中断していた。出来高制であることも多いアニメーターではこの作業中断は報酬の減少にもつながる。つまりこうした人材育成は，先行研究が指摘するのと同じく，ア

ニメーターの相互扶助によって成り立っているといえるだろう。

　こうした X 社の取り組みからみえてくるのは，コミュニティを維持するうえで
ある程度の制度化が必要になってくること，そしてその一方で，何をどこまで制度
化するかが，その現場にとって非常にデリケートな問題だということである。おそ
らく，場合によっては指導や机の利用それ自体に対してもマージンを取るという仕
組みを準備することもできるだろう（そうした制度を取っている制作会社も存在すると
聞いたこともある）。しかし，X 社は人材育成についてそれが目論見通りの仕方で行
えないことを承知で，先輩が新人を指導するというゆるやかな取り決めだけを用意
している。重要なのは，指導を強く制度化していった場合，新人への搾取として機
能してしまう可能性があるのに加えて，指導する側のアニメーターの裁量も大きく
損なわれる可能性があるという点である。だからこそ，X 社では人材育成について
は相互扶助に委ねる以上の制度化は進めていない。上り棚で他人の成果物を見て学
ぶことが黙認されているのも，人材育成とアニメーターの裁量が守られることの重
要性が同時に尊重された結果であると考えられる。

　さらに，こうした制度化をめぐる問いとも関連して，本書では，X 社では作画机
上で行われている他者の活動について相互に干渉しないような配慮がつねになされ
ていることを観察してきた。結局のところ，どのような制度化をしたとしても，そ
れが成員の相互行為を通して遂行されなければ意味をなさない。このことは当然の
ことではあるが，その詳細に立ち入れば，他者の活動に配慮する同様の秩序であっ
ても，その個別性[1]を適切に理解することができ，他の企業などでの実践に役立て
ることができるだろう。たとえば，第 6 章の最後の事例で扱った，机で寝ているア
ニメーターを起こさないでおくことなどは，一般的なホワイトカラーの職場ではみ
られそうにない。この一例をとっても，X 社では個々のアニメーターを時間・空間
の利用について裁量をもつ制作者として取り扱うことが一つの規範になっているこ
とが見て取れるのである。

---

1) ここには，個別性の集積から普遍性に至るのではなく，まずもって普遍的な概念が論理
　的に先行して存在しており，そうした普遍的概念が多様な仕方で折り重なることで個別
　性が現象するという，エスノメソドロジー的な発想が背景にある（前田・西村 2018）。
　実際には現象が有する個別性を理解することの方が，普遍性を理解することよりも知的
　作業を必要とする問いなのである。

■ 2-4　アニメーターという労働者像の適切な理解へ：「組織の一員」としてのアニメーターという見方

筆者は本書の冒頭において，アニメーターという職業に対して芸術制作の担い手というよりも労働者というイメージで捉える見方が近年浮上していることに言及した。そうした労働者としてのアニメーターというイメージは，既存の言説ではクリエーター意識や仕事のやりがいを巧みに与えられることによって搾取されるアニメーターの姿とともに成り立っていた。本書でも，労働者としてのアニメーターというイメージを支えている一つの要因であると考えられる，彼らがあくまでアニメ制作という集団的・組織的な営みを遂行する一員であるということに着目した。これまで多くの言説や研究者が搾取されるアニメーターという労働者像を描いてきたにもかかわらず，実際に組織に対してどのような労務管理を受けているのか，そのもとでどの程度フリーランサーとしての自由が享受できているのか，それともいないのかといった論点が，不思議なことに長らく問われてこなかったのである。

本書では，X 社における参与観察調査から，この空白を埋めることを試みた。就業形態上は独立自営業者であるアニメーターが所属している X 社では，個々のアニメーターが得た請負料の一部がマージンとして差し引かれたり，マネージャーによる作業進捗の管理が行われていた。しかし，本書を通して明らかになったのは，こうした労務管理が，フリーランスであるアニメーターが抱えがちな不安定性を解消するうえで重要な役割を果たしていたという点である。フリーランスとして働く個々のアニメーターは，カットごとなどの細分化された単位で仕事を請け負うため，しばしば手元に仕事がない状態が生じてしまう。出来高制で働くことも多いアニメーターにとって，こうした「手空き」は重大な空白である。第 4 章では，実際に手空きの状態になることが予想されたアニメーターがマネージャーに相談することによってそれを回避し，かつ自らが以前から関わりたいと希望していた作品の仕事を得ることができていた。マネージャーはアニメーターに仕事を斡旋する場合もあるが，あくまで仕事を請け負うか否かの決定権はアニメーターの側に委ねられていた。

マネージャーの仕事は，アニメーターの報酬水準を引き上げたり，ライフステージなどに応じて生活上の必要に対応することも含まれていた。他社のプロデューサーが仕事をもちかけてきた際は本人に代わって交渉を行い，プロデューサーの提示額より高い拘束料を要求していた。さらに，配偶者が出産し子育て中のアニメーターについて，その生活を考慮した報酬を要求し，そこでも報酬額を引き上げるこ

とに成功していた。

　こうしたマネージャーの仕事からわかるのは，そこでなされる労務管理があくまでアニメーター側の裁量が維持されることを前提としたものであり，そのうえでアニメーターの労働条件を維持・向上させることに寄与しているということである。もちろん，社長の小笠原がマージンを取られることについて自らの若手・中堅時代の経験から振り返っていたように，依然としてX社における実践は個々のアニメーターに対してデリケートなものでありうる。しかし，手空きの回避やライフステージに合わせた報酬水準の獲得は，プロジェクトベースで短納期・出来高の仕事をこなし続けるアニメーターにとってはけっして容易ではない。アンケート調査においても，「個人的に仕事をとるより会社に入っている方が仕事を取りやすい」など，組織の一員としてあることによってアニメーター自身がメリットを享受していることを示す回答が得られていた。多くのアニメ制作会社において労務管理を専門的に行う従業員が配置されていないことをふまえるのならば，X社のマネージャーの実践は重要な役割を果たしているものとして評価しうるだろう。組織の一員であるということが，ただちに搾取として記述できるような状況を引き起こすわけではないのである。

　本書の議論が示唆しているのは，ある労働現象を搾取として批判したいのならばなおさら，その職場において成立している秩序を注意深く詳細に至るまで捉えていく必要があるという点である。そうした議論を経ない批判は，労働現場の当事者たちを「判断能力喪失者」（Garfinkel 1967）として捉えてしまうことになりかねない。職場の秩序を作るのは研究者ではなく，まずはその職場に属している労働者たちである。そこで労働者が取り組んでいる配慮や努力を考慮せずに批判しても，それはそもそも当事者にとって意味をもたない批判となり，結果として空振りに終わってしまう可能性がある。

　本書はまさに，そうした秩序の記述という点に注力して議論を積み重ねてきた。本書は，かねてから労働問題として取り上げられてきたアニメ産業を対象とし，そうした社会秩序の一つとしての職場の空間的秩序に着目して，その達成からフリーランスのアニメーターの労働がいかにして維持されているのかを，X社という興味深い対象から考察してきたのである。

　今後のアニメーターの職場にどのような変化が訪れ，どのような秩序形成がなされていくのかを捉えることは，今後の筆者の課題である。しかし，そこでも本書が貫いてきた方針が重要であり続けるに違いない。

3 今後の課題

　最後に，本書の限界について述べて，議論を閉じることにしよう。その限界とは，X 社という対象の特殊性に基づく限界であると同時に，職場の道徳性を捉える労働研究を発展させていく際の課題でもある。

　第一に，本書は多くのアニメーターが雇用形態上フリーランスであるという特徴に着目し，実際にほとんどがフリーランサーで占められている職場を取り扱ってきたが，フリーランス労働の固有性を網羅的に明らかにできたとはいいがたい。本書は仕事内容の決定までアニメーター自身が行うなど，他の雇用形態ではみられにくい特徴も断片的にはみえているが，それに留まっている。たとえば，時間の使い方などが全面的にアニメーターに委ねられていることなどは，裁量労働制の職場でも観察されうる。こうした限界は，本書がアニメーターの「集まり」，そして結果として空間的秩序に着目したことから生じているように思われる。空間的秩序をみていくという立場から，調査設計も実際に使用したデータも，全体として職場観察が中心とならざるを得なかった。しかしフリーランス労働がもしも特有の労働経験を与えるものであるのならば，インタビュー調査を中心に当事者の仕事に対する理解などを捉えていく必要があるだろう。もちろん，仮に特有の労働経験があるとしても，先行研究も指摘しているように同業者のコミュニティ維持という論点は依然重要であり，その点で本書の貢献を損なうものではないが，フリーランスの労働研究を進展させていくうえでは当事者の理解の把握も非常に重要だろう。

　第二に，本書はあくまで職場の規範の記述に徹したことによって，アニメーターの経済活動の基盤となっている道徳や規範をすべて明らかにしたわけではない。X 社は下請制作会社であり，グロス請け[2] も含めて作品制作全体を担うことは多くない。しかし近年の業界の動きとして，前節で示したような「内製化」の動きがみられることも事実である（半澤 2016）。この点で，X 社がアニメーション産業全体を代表する事例であるかといえば，むしろ特殊であるという方が適切であると思われる。これは本書が職場の規範記述を追求した結果として生じたかたよりであるが，むしろこうした「産業の規範」や「業界の規範」という水準の事柄を明らかにするためには，また独自の方法論的議論を積み上げる必要がある。これは逆にいえば，本書

2）一つの作品を構成する話数（放映期間が 3 ヵ月であれば 12 〜 13 話）のうちの一部の話数をまとめて請け負う受注形態を指す。

が行ってきたのは職場の道徳性を捉える社会学的な労働研究の一事例でしかなく，さらに理論的な考察と経験的な調査が組み合わされて，さまざまな研究の仕方が切り拓かれる必要があることを示している。しかし，本書が着目した第三者からも観察可能・報告可能な水準の道徳や規範について分析を進めていくという方針は，どのような水準の規範に焦点を当てるにしても一つの指針となるだろう。

　労働研究はこれまでの歴史においても労使関係をはじめとしたさまざまな仕事に対する視点を開発してきたが，未だにその分析の道具立てのバリエーションは不足している。アニメ産業は一見ニッチな対象ではあるが，こうした労働研究の不足を補う視点を打ち立てるうえで豊かな問いを研究者に対して突きつける。この不足を経験的な研究を展開しつつ解消していくことが，筆者に課せられた課題となるだろう。

あとがき

　本書は，筆者が一橋大学大学院社会学研究科に提出した博士論文「アニメ作画スタジオにおける経済活動と空間的秩序——職場のモラル・エコノミーの社会学的研究」（2018 年）に加筆修正を加えて取りまとめたものである。

　博士論文は労働研究もしくは労働社会学における筆者の議論の新規性を提示することを目的として執筆したが，本書へと改稿するにあたって，どちらかといえばアニメ作品やアニメーターという職業に関心をもって読まれる方も多いだろうと考え，議論の導入はそうした読者を意識したものへと大きく変更した。さらに，労働社会学における理論的な議論についても，重要な部分を残しつつも読みやすくなるよう編集した。分析パートについても取り上げる事例の取捨選択を行ったうえ，加筆修正を行っている。

　筆者は幸運にも，以前にも修士論文を書籍化する機会に恵まれた（『アニメーターの社会学——職業規範と労働問題』三重大学出版会，2017 年）。そこでも多くの方に謝辞を述べさせていただき，そこで記した多くの方には今でも各所でご助言などをいただいている。非常に多くのお力をお借りして研究を進めてきた私にとって，そのすべての方々に対する謝辞を述べることができないのがたいへん心苦しい。さしあたり，本書をこのような形へとまとめるにあたってとくにご助力をいただいた方々にここで感謝を述べさせていただく形でご容赦をいただきたい。

　まず，もととなった博士論文の指導・審査に関わられた諸先生方にお礼申し上げたい。学部時代からの恩師であり，大学院在籍中を通して主査を務めていただいた西野史子先生には，社会学理論や方法論への意識が強く，かつ研究事例の少ない対象を扱ってきた筆者の研究に対して，どのように労働研究としての形を与えるかについて幾度も指導をいただき多大な苦労をおかけした。副査の倉田良樹先生には，労使関係研究者としての経験に裏打ちされた理論的思考に基づき，つねに研究対象の理論的意義を高めるようなご指導をいただいたと理解している。倉田先生は，2020 年 3 月をもって一橋大学をご退職される。西野ゼミ・倉田ゼミを往復するのが大学院生活の原風景だった筆者にとっては，どこかさびしい思いに駆られる。博士論文の審査では，堂免隆浩先生（都市工学），山田哲也先生（教育社会学）にも副査として加わっていただき，他分野にもかかわらず，博士論文の難点などを的確にご

指摘いただき，その後の研究の方針を与えていただいた。

　次に，貴重なフィールドワークの機会を与えていただいた X 社のみなさまに感謝したい。X 社との最初の出会いは，筆者が博士課程在籍中にアルバイトとして手伝っていたある調査にて偶然訪問し，調査メンバーの一員として社長の小笠原さん（仮名）のお話を伺ったことにはじまる。そこで社長が人材育成を重視することの重要性を語っていたことが強く印象に残っている。加えて博士課程においては，修士論文までの研究がインタビューに頼ったものであることをどう克服するかが一つの課題となっており，可能な限り博士論文は参与観察などを利用した労働調査を行おうと考えていた。そうした逡巡を続けていたところ，後日また別の機会に偶然小笠原さんにお会いし，思い切って調査の依頼を申し上げたところ，ご快諾をいただいたのである。アニメ産業の労働問題が広く周知されるようになったなか，著作のタイトルに「労働問題」と明記してある筆者のような研究者を受け入れていただいたのは，きわめて貴重なことである。「世間に知られていない実態を知ってもらいたい」とおっしゃった社長の思いに，本書が少しでもこたえている部分があることを祈っている。

　社長のみならず，X 社のスタッフのみなさまは，たびたび時間を変えてはスタジオに現れて調査を続ける筆者に対して，クレームもなく受け入れてくださった。もちろん筆者もスタッフの方々の仕事を邪魔してしまうことがないよう細心の注意を払ったつもりだが，観察されていることを気にされた方もいらっしゃっただろう。そうしたなかでもインタビューやアンケートにご協力をいただいたり，社内で開催された花見に同行させていただいたりしたことは，勝手ながら調査中は心細くもあった筆者にとって多大な励みになった。

　筆者が労働研究とエスノメソドロジーの視点を関連づけて研究を展開することの重要性を主張していることは，ここまで読み進めていただいた読者にはご理解いただけたかとは思う。これらの研究プログラムは考え方を異にする部分もあるが，おおまかにいって実践者から学ぶというスタンスについてはかなり共通する部分があると筆者は考えている。しかし，ゆえにこそ，X 社のみなさまのご協力があって博士論文や本書を完成させることができ，以下に述べるように大学教員としての仕事に従事する機会を得ることもできたのである。私自身 X 社に研究者として育ててもらったのだということは，研究者を名乗り続ける限りは主張し続けていきたいと思う。

　なお，X 社には，また 2020 年 2，3 月にかけて調査の機会をいただいている。本

書が出版されるころにはその調査は完了していると思われるが，その調査の成果で
さらなる次の論文・書籍をと，勇み足ながら息巻いているところである。

　博士論文提出から本書をまとめている期間に起こった最も大きな変化の一つとし
て，2019 年 4 月より長野大学企業情報学部に専任教員として採用をいただいたこと
がある。筆者にとっては専任教員として初めての勤務経験であり，学内業務を一か
ら覚えてなんとかこなしているのが現状である。たどたどしい仕事ぶりからご配慮
いただいている部分があるかもしれないが，研究に積極的に関与することについて
は歓迎していただいており，なんとか本書の出版という形で 1 年目の仕事を締めく
くれそうである。こうした研究支援の証左として，本書の出版にあたっては長野大
学から「令和 1 年度学術図書出版助成」の交付をいただいている。

　本書の編集をいただいたナカニシヤ出版の米谷さんにも感謝し上げたい。米谷
さんについては，一橋大学社会学部の先輩でありエスノメソドロジー・会話分析を
学ぶうえでの恩師の一人でもある，立教大学の前田泰樹先生からご紹介いただいた。
つねにさまざまな分野の研究会に自らご参加され，本書の打ち合わせが始まってか
らは筆者が主催する「産業・労働社会学研究会」にも足を運んでいただいている。
その知的な体力と吸収力は，むしろこちらが研究者として学ぶべきだという思いを，
お話しさせていただくたびに痛感している。

　他にも具体的に挙げたい研究会名・個人名がいくらでも思い浮かぶ。列挙するこ
とも考えたが，筆者は迂闊にして漏れのあるリストを作ってしまうに違いない。そ
うした恥の上塗りを進んでするよりは，筆者の研究生活に影響を与えてくださった
すべての方々へという形で，感謝の念を伝えさせていただくことでご容赦をいただ
きたい。

　本書は博士論文をもとにした書籍ということで，一般的にみて大きな区切りの一
つであろうとは思う。しかし，やりきった感覚はまったくない。むしろ大学教員と
して新たな環境に身をおいた今では，学術研究者ならびに実務にかかる人びとに資
する知の生産をさらに進めなければならないという思いが強くなっている。本書が
微力ながらもそうした知の生産に寄与する何かであることを，筆者としては願っ
ている。

2020 年 1 月
上田にて

参考文献

阿部智和（2014）.「オフィス空間のデザイン研究のレビュー——知的創造性に着目した オフィス空間のデザインをめぐって」『地域経済経営ネットワーク研究センター年 報』*3*, 87–101.

阿部真大（2006）.『搾取される若者たち——バイク便ライダーは見た！』集英社

稲上　毅（1981）.『労使関係の社会学』東京大学出版会

稲熊太郎（2017）.「アニメーターの労働市場と文化庁の人材育成事業」『文化経済学』*14* (1), 22–34.

稲水伸行（2008）.「空間密度が行動・コミュニケーションに与える影響——ノンテリト リアル・オフィス移転の事例分析」『MMRC DISCUSSION PAPER SERIES』*227*. 東京大学ものづくり経営研究センター

稲水伸行（2013）.「ワークプレイスの多様性・柔軟性・統合性——日本マイクロソフト 社の品川オフィスの事例」『組織科学』*47*(1), 4–14.

井上枝一郎（2010）.「ヒューマンエラーと対策としての組織文化」『火力原子力発電』*61* (5), 374–386.

伊原亮司（2003）.『トヨタの労働現場——ダイナミズムとコンテクスト』桜井書店

伊原亮司（2016）.『トヨタと日産にみる〈場〉に生きる力——労働現場の比較分析』桜 井書店

ウェーバー, M.／林　道義［訳］（1968）.『理解社会学のカテゴリー』岩波書店（Weber, M.（1913）. Über einige Kategorien der verstehenden Soziologie.）

宇田忠司（2009）.「フリーランスの言説スペクトル——英雄・騎士・従僕」『經濟學研究』 *59*(3), 535–544.

宇田忠司（2013）.「コワーキングの概念規定と理論的展望」『經濟學研究』*63*(1), 115– 125.

宇田忠司・阿部智和（2018）.「コワーキングスペースにおけるコミュニティ構築とサス テナビリティ向上の要因」『Discussion Paper, Series B』*159*, 1–27.

梅崎　修・池田心豪・藤本　真［編］（2020）.『労働・職場調査ガイドブック——多様な 手法で探索する働く人たちの世界』中央経済社

榎　一江・小野塚知二［編著］（2014）.『労務管理の生成と終焉』日本経済評論社

オオウチ, W. G.／徳山二郎［監訳］（1981）.『セオリーZ——日本に学び，日本を超える』 CBS・ソニー出版（Ouchi, W. G.（1981）. *Theory Z: How American business can meet the Japanese challenge.* Reading, MA: Addison-Wesley.）

大野正和（2005）.『まなざしに管理される職場』青弓社

大橋雅央（2007）.「アニメーターを主としたアニメ制作者の労働実態に関する現場調査」 『財団法人徳間記念アニメーション文化財団年報 2006-2007』

桶原　馨（2012）.「「アニメ」のつくり手とアニメーション表現——アニメーターへのイ ンタビューを通じて」2012 年度東京大学大学院 学際情報学府 文化・人間情報学コー ス修士論文

カステル，R.／北垣　徹［訳］（2015）．『社会喪失の時代——プレカリテの社会学』明石書店（Castel, R.（2009）. *La montée des incertitudes: Travail, protections, statut de l'individu.* Paris: Seuil.）

河西宏祐（1981）．『企業別組合の実態——「全員加入型」と「少数派型」の相剋』日本評論社

河西宏祐（1990＝2001）．『日本の労働社会学』早稲田大学出版部

木村智哉（2010）．「初期東映動画における映像表現と製作体制の変革」『同時代史研究』*3*, 19–34.

木村智哉（2016）．「商業アニメーション制作における「創造」と「労働」——東映動画株式会社の労使紛争から」『社会文化研究』*18*, 103–125.

木本喜美子（2003）．『女性労働とマネジメント』勁草書房

京谷栄二（1993）．『フレキシビリティとはなにか——現代日本の労働過程』窓社

鯨井康志（2017）．『「はたらく」の未来予想図——働く場所や働き方の過去・現在・未来』白揚社

グラノヴェター，M.／渡辺　深［訳］（1998）．『転職——ネットワークとキャリアの研究』ミネルヴァ書房（Granovetter, M.（1995）. *Getting a job: Study of contacts and careers.* Chicago, IL: University of Chicago Press.）

クンダ，G.／金井壽宏［監修］／樫村志保［訳］（2005）．『洗脳するマネジメント——組織文化を操作せよ』日経BP社（Kunda, G.（1992）. *Engineering culture: Control and commitment in a high-tech corporation.* Philadelphia, PA: Temple University Press.）

経済産業省（2017）．「アニメのデジタル制作導入ガイド——日本のアニメーション制作が培っていた技術を，未来の才能に引き継いでいくために」平成28年度　我が国におけるデータ駆動型社会に係る基盤整備（アニメーション分野におけるデジタル制作環境整備に係る調査研究）報告書

小池和男（1981）．『日本の熟練——すぐれた人材形成システム』有斐閣

厚生労働省（2017）．「テレワークではじめる働き方改革——テレワークの導入・運用ガイドブック」

小杉礼子（2003）．『フリーターという生き方』勁草書房

ゴッフマン，E.／丸木恵佑・本名信行［訳］（1980）．『集まりの構造——新しい日常行動論を求めて』誠信書房（Goffman, E.（1963）. *Behavior in public places.* New York: Free Press.）

コンドリー，I.／島内哲朗［訳］（2014）．『アニメの魂——協働する創造の現場』NTT出版（Condry, I.（2013）. *The soul of anime: Collaborative creativity and Japan's media success story.* Durham: Duke University Press.）

坂上貴之（1997）．「行動経済学と選択理論」『行動分析学研究』*11*(1-2), 88–108.

坂上貴之［編］（2009）．『意思決定と経済の心理学』朝倉書店

サッチマン，L.／土屋孝文［訳］（1994）．「日常活動の構造化」日本認知科学会［編］『認知科学の発展　Vol.7 特集　分散認知』講談社，pp.41–57.

サッチマン，L.／佐伯　胖・水川喜文・上野直樹・鈴木栄幸［訳］（1999）．『プランと状況

的行為──人間‐機械コミュニケーションの可能性』産業図書（Suchman, L.（1987）. *Plans and situated actions: The problem of human-machine communication.* Cambridge: Cambridge University Press.）

佐藤彰男（2006）.『テレワークの社会学的研究』御茶の水書房

佐藤彰男（2008）.『テレワーク──「未来型労働」の現実』岩波書店

佐藤博樹・小泉静子（2007）.『不安定雇用という虚像──パート・フリーター・派遣の実像』勁草書房

白木三秀・梅澤　隆［編］（2010）.『人的資源管理の基本』文眞堂

スロスビー, D. ／中谷武雄・後藤和子［監訳］（2002）.『文化経済学入門──創造性の探究から都市再生まで』日本経済新聞社（Throsby, D.（2001）. *Economics and culture.* Cambridge: Cambridge University Press.）

谷口　功・麻生はじめ（2010）.『最新アニメ業界の動向とカラクリがよ〜くわかる本──業界人，就職，転職に役立つ情報満載』秀和システム

團　康晃（2014）.「学校の中の物語制作者たち──大学ノートを用いた協同での物語制作を事例に」『子ども社会研究』*20*, 3-16.

永田大輔・松永伸太朗（2019）.「多様な表現を可能にする制作者の労働規範の変容──1970 〜 80 年代のアニメ産業を事例として」『マス・コミュニケーション研究』*95*, 183-201.

日本アニメーター・演出協会（2009）.『アニメーター労働白書 2009』

日本アニメーター・演出協会（2015）.『アニメーション制作者実態調査報告書 2015』

日本動画協会（2016）.『アニメ産業レポート 2016』

練馬アニメーション（2016）.『アニメ産業における人材育成の実態と意識調査』

バウマン, Z. ／森田典正［訳］（2001）.『リキッド・モダニティ──液状化する社会』大月書店（Bauman, Z.（2000）. *Liquid modernity.* Cambridge: Polity Press.）

濱口桂一郎（2009）.『新しい労働社会──雇用システムの再構築へ』岩波書店

濱口桂一郎（2018）.「横断的論考」『日本労働研究雑誌』*60*(4), 2-10.

原田　浩（2011）.「夢を追うクリエイター意識を利用した過酷な働かせ方──アニメ・ビジネスの現場から」脇田　滋［編］『ワークルール・エグゼンプション──守られない働き方』学習の友社, pp.48-56.

半澤誠司（2016）.『コンテンツ産業とイノベーション──テレビ・アニメ・ゲーム産業の集積』勁草書房

樋口晴彦（2012）.『組織不祥事研究──組織不祥事を引き起こす潜在的原因の解明』白桃書房

ヒューマンメディア（2013）.『日本と世界のメディア×コンテンツ市場データベース2013』

ヒューマンメディア（2017）.『日本と世界のメディア×コンテンツ市場データベース2017』

藤本　真・梅﨑　修・池田心豪・西村　純・松永伸太朗・秋谷直矩（2018）.「H 社におけるオフィスのフリー・アドレス化の取り組み」『生涯学習とキャリアデザイン──法政大学キャリアデザイン学会紀要』*15*(2), 99-106.

ブレイヴァマン, H.／富沢賢治［訳］（1978）.『労働と独占資本──20世紀における労働の衰退』岩波書店（Braverman, H.（1974）. *Labor and Monopoly Capital: The Degradation of Work in the Twentieth Century*. New York: Monthly Review Press.）

ボウルズ, S.／植村博恭・磯谷明徳・遠山弘徳［訳］（2017）.『モラル・エコノミー──インセンティブか善き市民か』NTT出版（Bowles, S.（2016）. *The moral economy: Why good incentives are no substitute for good citizens*. New Haven, CT: Yale University Press.）

本田由紀［編］（2010）.『労働再審〈1〉転換期の労働と「能力」』大月書店

本田由紀（2008）.『軋む社会──教育・仕事・若者の現在』双風舎

前田泰樹・水川喜文・岡田光弘［編］（2007）.『ワードマップ　エスノメソドロジー──人びとの実践から学ぶ』新曜社

前田泰樹・西村ユミ（2018）.『遺伝学の知識と病いの語り──遺伝性疾患をこえて生きる』ナカニシヤ出版

間嶋　崇（2007）.『組織不祥事──組織文化論による分析』文眞堂

松下慶太（2018）.「ワークプレイス・ワークスタイルの柔軟化と空間感覚の変容に関する研究──Hubud・FabCafe Hidaにおけるワーケーションを事例に」『実践女子大学人間社会学部紀要』*14*, 17-30.

松下慶太（2019）.『モバイルメディア時代の働き方──拡散するオフィス, 集うノマドワーカー』勁草書房

松永伸太朗（2016）.「VIPクラブでただ働きすること──関係ワークと同意の生産」『日本労働研究雑誌』*675*, 83-84.

松永伸太朗（2017）.『アニメーターの社会学──職業規範と労働問題』三重大学出版会

松永伸太朗（2020）.「フリーランサーの職場における技能形成──アニメ作画スタジオの『上り棚』の利用を事例として」『長野大学紀要』*41*（3）（印刷中）

松永伸太朗・梅崎　修・池田心豪・藤本　真・西村　純（2017）.「サイボウズ社のオフィスデザイン──オフィス改革の効果とその経緯」『生涯学習とキャリアデザイン』*15*（1）, 113-120.

松永伸太朗・永田大輔（2017）.「フリーランスとして「キャリア」を積む──アニメーターの二つの職業観から」『日本オーラル・ヒストリー研究』*13*, 129-150.

水川喜文（2007）.「エスノメソドロジーのアイデア」前田泰樹・水川喜文・岡田光弘［編］『ワードマップ　エスノメソドロジー──人びとの実践から学ぶ』新曜社, pp.3-34.

水川喜文・秋谷直矩・五十嵐素子［編］（2017）.『ワークプレイス・スタディーズ──はたらくことのエスノメソドロジー』ハーベスト社

宮地弘子（2012）.「ソフトウェア開発現場における自発的・没入的労働の相互行為論的考察──「人々の社会学」の視角から」『社会学評論』*63*（2）, 220-238.

宮地弘子（2016）.『デスマーチはなぜなくならないのか──IT化時代の社会問題として考える』光文社

毛利嘉孝（2009）.「アニメ産業にみる国際分業とグローバリゼーション──日本と中国

を中心に」『放送メディア研究』*6*, 69-92.

山崎晶子・山崎敬一・田丸恵理子・小松　盟（2015）.「ワークプレース研究と相互行為分析――2つの会議場面の分析を通じて」『日本労働研究雑誌』*665*, 57-69.

山崎敬一（1991）.「主体主義の彼方に」西原和久［編］『現象学的社会学の展開――A・シュッツ継承へ向けて』青土社, pp.213-252.

山崎敬一・葛岡英明・山崎晶子・池谷のぞみ（2003）.「リモートコラボレーション空間における時間と身体的空間の組織化」『組織科学』*36*(3), 32-45.

山本健太（2007）.「東京におけるアニメーション産業の集積メカニズム――企業間取引と労働市場に着目して」『地理学評論』*80*(7), 442-458.

雪村まゆみ（2007）.「戦争とアニメーション――職業としてのアニメーターの誕生プロセスについての考察から」『ソシオロジ』*52*(1), 87-102, 155.

レルフ, E.／髙野岳彦・阿部　隆・石山美也子［訳］（1999）.『場所の現象学――没場所性を越えて』筑摩書房（Relph, E.（1976）. *Place and Placelessness*. London: Pion.）

労働政策研究・研修機構研究調整部研究調整課［編］（2005）.『コンテンツ産業の雇用と人材育成――アニメーション産業実態調査』労働政策研究・研修機構

労務行政研究所（2017）.「「場所」や「時間」にとらわれない柔軟な働き方――在宅勤務制度」『労政時報』*3935*, 16-87.

Beiley, C., & Madden, A.（2017）. Time reclaimed: Temporality and the experience of meaningful work. *Work, Employment and Society, 31*(1), 3-18.

Bittner, E.（1965）. The concept of organization. *Social Research, 32*(3), 239-255.

Bolton, S., & Laaser, K.（2013）. Work, employment and society through the lens of moral economy. *Work, Employment and Society, 27*(3), 508-525.

Bowles, S.（2008）. Policies designed for self-interested citizens may undermine "The moral sentiments": Evidence from economic experiments. *Science, 320*, 1605-1609.

Burawoy, M.（1979）. *Manufacturing consent: Changes in the labor process under monopoly capitalism*. London: The University of Chicago Press.

Button, G., & Sharrock, W.（1997）. The production of order and the order of production: Possibilities for distributed organisations, work and technology in the print industry. *ECSCW, 97*, 1-16.

Button, G., & Sharrock, W.（2009）. *Studies of work and the workplace in HCI: Concepts and techniques*. San Rafael, CA: Morgan & Claypool.

Caves, R.（2002）. *Creative industries: Contracts between art and commerce*. Cambridge, MA: Harvard University Press.

Conor, B., Gill, R., & Taylor, S.（2015）. Gender and Creative Labour. *The sociological review, 63*(1), 1-22.

Dennis, A., Philburn, R., & Smith, G.（2013）. *Sociologies of interaction*. Cambridge: Polity Press.

Elder-Vass, D.（2015）. The moral economy of digital gifts. *International Journal of Social Quality, 5*(1), 35-50.

Garfinkel, H.（1963）. A conception of and experiments with 'trust' as a condition of stable concerned actions. in O. J. Hervey (ed.) *Motivation and social interaction: Cognitive determinants.* New York: Ronald Press, pp.187–238.

Garfinkel, H. (1967). *Studies in ethnomethodology.* Englewood Cliffs, NJ: Prentice-Hall.

Garfinkel, H., & Sacks, H. (1970). On formal structures of practical actions. in J. C. Mckinney, & E. A. Tiryakian (eds.) *Theoretical sociology: Perspectives and developments.* New York: Appleton-Century-Crofts, pp.337–366.

Granovetter, M. (1985). Economic action and social structure: The problem of embeddedness. *American Journal of Sociology, 91*(3), 481–510.

Harper, R., Randall, D., & Rouncefield, M. (2000). *Organisational change and retail finance: An ethnographic perspective.* London: Routledge.

Harvey, G., Rhodes, C., Vachhani, S., & Williams, K. (2016). Neo-villeiny and the service sector: the case of hyper flexible and precarious work in fitness centres. *Work, Employment and Society, 31*(1), 19–35.

Heath, C., & Luff, P. (1996). Convergent activities: Line control and passenger information on the London underground. in Y. Engeström, & D. Middleton (eds.) *Cognition and communication at work.* Cambridge: Cambridge University Press, pp.96–129.

Jayyusi, L. (1984). *Categorization and the moral order.* Boston, MA: Routledge.

Jayyusi, L. (1991). Values and moral judgement: Communicative praxis as a moral order. in G. Button (ed.) *Ethnomethodology and the human sciences.* New York: Cambridge University Press, pp.227–251.

Kalleberg, A. (2000). Nonstandard employment relations: Part-time, temporary and contract work. *Annual Review of Sociology, 26,* 341–365.

Llewellyn, N., & Hindmarsh, J. (2013). The order problem: Inference and interaction in interactive service work. *Human Relations, 66*(11), 1401–1426.

Mears, A. (2011). *Pricing beauty: The making of a fashion model.* Berkeley, CA: University of California Press.

Mears, A. (2015). Working for free in the VIP: Relational work and the production of consent. *American Sociological Review, 80*(6), 1099–1122.

Morisawa, T. (2015). Managing the unmanageable: Emotional labour and creative hierarchy in the Japanese animation industry. *Ethnography, 16*(2), 262–284.

Occhiuto, N. (2017). Investing in independent contract work: The significance of schedule control for taxi drivers. *Work and Occupations, 44*(3), 268–295.

Raito, P., & Lahelma, E. (2015). Coping with unemployment among journalists and managers. *Work, Employment and Society, 29*(5), 720–737.

Randall, D., & Sharrock, W. (2011). The sociologist as movie critic. in M. Rouncefield, & P. Tolmie (eds.) *Ethnomethodology at work.* Farnham: Ashgate, pp.1–18.

Salvadori, F. (2017). *Open office interaction: Initiating talk at work.* Doctral Theses in King's College London.

Sayer, A. (2000). Moral economy and political economy. *Studies in Political Economy,*

61, 79–103.

Sayer, A. (2011). *Why things matter to people: Social science, values and ethical life.* Cambridge: Cambridge University Press.

Sayer, A. (2015). Time for Moral Economy? *Geoforum, 65*, 291–293.

Schwartz, D. (2018). Embedded in the crowd: Creative freelancers, crowdsourced work, and occupational community. *Work and Occupations, 45*(3), 247–282.

Smelser, N., & Swedberg, R. (2005). Introducing economic sociology. in N. J. Smelser, & R. Swedberg (eds.) *The handbook of economic sociology.* Princeton, NJ: Princeton University Press, pp.3–25.

Smith, C. (2015). Rediscovery of the labour process. in S. Edgell, H. Gottfried, & E. Granter (eds.) *The sage handbook of the sociology of work and employment.* Los Angeles: Sage, pp.205–224.

Storey, J., Salaman, G., & Platman, K. (2005). Living with enterprise in an enterprise economy: Freelance and contract workers in the media. *Human Relations, 58*(8), 1033–1054.

Sturdy, A., Fleming, P., & Delbridge, R. (2010). Normative control and beyond in contemporary capitalism. in P. Thompson, & C. Smith (eds.) *Working life: Renewing labour process analysis.* Basingstoke: Palgrave Macmillan, pp.113–135.

Suchman, L. (1996). Constituting shared workspaces. in Y. Engeström, & D. Middleton (eds.) *Cognition and communication at work.* Cambridge: Cambridge University Press, pp.35–60.

Suchman, L. (1997). Centers of coordination: A case and some themes. in L. B. Resnick, R. Säljö, C. Pontecorvo, & B. Burge (eds.) *Discource, tools, and reasoning: essays on situated cognition.* Berlin: Springer-Verlag, pp.41–62.

Suchman, L. (2017). Situational awareness and adherence to the principle of distinction as a necessary condition for lawful autonomy. in R. Geiss (ed.) *Lethal Autonomous Weapons Systems: Technology, definition, ethics, law & security.* Berlin: Federal Foreign Office, pp.273–283.

Suchman, L., & Wynn, E. (1984). Procedures and problems in the office. *Office: Technology and People, 2*(2), 133–154.

Tuncer, S., & Licoppe, C. (2018). Open door environments as interactional resources to intiate unscheduled encounters in office organizations. *Culture and Organization, 24*(1), 11–30.

Umney, C. (2017). Moral economy, Intermediaries and intensified competition in the labour market for function musicians. *Work, Employment and Society, 31*(5), 834–850.

Van Maanen, J., & Barley, S. R. (1984). Occupational communities: Culture and control in organizations. *Research in Organizational Behavior, 6*, 287–365.

Zelizer, V. (2012). How I became a relational economic sociologist and what does that mean? *Politics & Society, 40*(2), 145–174.

事項索引

あ行

上り棚　*60, 126-129, 136*
後の便　*77*
アニメーター　*i*
　──という職業　*i*
アニメビジネスの資金の流れ　*37*
アフレコ　*41*

違和感の指摘　*120*

絵コンテ　*42, 79*
エスノメソドロジー　*22, 24, 25, 35, 63, 166, 174*
X社の空間的編成　*125*
演出　*42, 115*

応接室　*62*
応接室側テーブル　*62, 141, 143, 151, 168*
OJT　*105, 110*
OVA　*97*
オープンオフィス　*8*
オフィス改革　*6*

か行

介入　*116, 149*
概念による再記述　*108*
顔の角度　*117*
各セクション修正例　*80*
過剰な管理　*19, 20, 25*
カット単位　*58*
関係ワーク　*17, 18*
干渉　*154*
監督　*42, 125*

偽装請負　*89*
キッチン側テーブル　*62, 132, 138, 168*
規範　*89*

クリエーター的──　*3*
職人的──　*3*
キャラクターデザイン　*43*
キャラ表（キャラクター表）　*79*
協働　*iii, 36, 73, 82, 102, 103, 126, 135, 167*
　──の中心　*126*
共有ワークスペースの構成　*166*
緊張　*65, 67*

空間的秩序　*35, 52, 53, 63, 70, 87, 131, 132, 135-138, 143, 145, 147, 149, 152, 154, 155, 162-164, 167, 168*
クリエーター的規範　*3*
グロス請け　*53, 177*

決定権　*100*
原画　*40, 43*
現象学的地理学　*29*

交渉　*95*
拘束契約　*46, 91*
公的空間　*87*
個人事業主　*55, 89, 167*
個人的（な）空間　*73, 78, 82, 87, 116, 122, 129, 148, 154, 157, 164, 167, 168*
個人の裁量　*163*
コピー機　*60*
コミュニティ　*172*
職業──　*11*
コワーキング　*5*

さ行

彩色　*41*
裁量　*86, 174*

裁量労働制　*177*
作業机　*78*
作画
　──の適切性　*119, 121, 125*
　──のデジタル化　*171*
　正しい──　*114*
作画打ち合わせ　*75*
作画監督　*44*
作画机　*60, 78, 116, 122, 131, 135, 137, 148, 152, 155, 167*
作画部門　*40*
搾取　*178*
　──されるアニメーター　*i*
　やりがい（の）──　*ii, iii, 175*
座席表　*57*
撮影部門　*41*
雑談　*145*
産業集積　*2*
参与観察　*iv, 2, 17*

仕上げ部門　*40*
CG部門　*41*
シーン構築　*41*
仕切り　*79*
仕事空間　*152*
仕事の依頼　*74*
仕事の契約　*89*
指示　*84, 112*
自然言語　*23*
下請制作会社　*38*
実践の記述　*32*
私的空間　*87*
指導　*125*
　──の基準　*124*
指導的なやりとり　*115*
事務室　*58*

若年雇用問題　9
社長　101
社長室　62
柔軟性（フレキシビリティ）　4
　働き方の──　9
　働く場所の──　iv, 4
出向　56, 72, 171
出向者の机　160
出退勤ホワイトボード　61
常識的知識　22
　人間についての──
　　121
職業規範　ii
職業コミュニティ　11
職人的規範　3
職場
　──における規則　13
　──の空間的秩序　31
　──のデザイン　56
　──の道徳性　12, 13,
　　30, 34, 165, 177, 178
職務の労働条件　44
人員構成　53
人材育成　36, 105, 118,
　129, 131, 167, 168, 171,
　173
身体的志向　28, 52, 162,
　164, 167, 168
進捗確認　77
進捗ホワイトボード
　58-60

スキャン　40
スケジュールの前倒し
　149
スタッフ　159

正規雇用化　169
制作進行　75, 138
制度化　174
専門的知識　22

組織文化　17

た行
第二原画　82
タイムシート　80
正しい作画　114
他者の原画を見る　128
単価　45

調査日程　51

通路の交差点　158

手空き　96, 98, 175
定式化　113
適切さ　110, 112
テクスチャ　41
デジタル化　169, 170
テレワーク　5, 7, 8, 171
電話連絡　69

同意　14
　──の生産　14, 35
同意生産論　17, 34, 165
動画　40, 43
動画検査　44
動線　70, 149
特定工程特化型企業　169

な行
内製化　3, 169, 177
中台詞　108
難度の高いカット　101

人間についての常識的知識
　121

ネットワーク　98

は行
パース　112
パート単位　58
働き方改革　4
働き方のフレキシビリティ
　9
働く場所の柔軟性（フレキ

シビリティ）　iv, 4
話しかけ　131, 132, 148,
　153, 157, 159, 164, 168
　──の中断　132, 159
判断能力喪失者　176

ピアプレッシャー　23
PC　60
美術部門　41
非標準的労働編成　9

ファンクション・ミュージ
　シャン　12, 172
不安定労働　9
不適切さ　111
不払い労働　17, 18, 35, 165
フリーアドレスオフィス
　171
フリーランサー　iii, 9, 36,
　72, 99, 105, 169, 172
フリーランス　9, 10, 89,
　165, 167, 171
　──労働　9-11
プリプロダクション工程
　39
プロダクション工程　40
分業　169

平均休日数　45
平均作業時間　45
平均年間収入　45
別セル　120

報酬に見合った労力　109
ポストプロダクション工程
　41

ま行
マージン　173, 174
まく　100
マネージャー　55, 89, 90,
　95, 97, 102, 103, 167, 175
満足度の比較　64

メイクアウト　*15, 16*

モーション付け　*41*
元請　*53*
元請制作会社　*38*

や行
やりがい（の）搾取　*ii, iii, 175*
やりとりの空間的編成　*121*
やりとりの資源　*160*

ら行
理想言語　*23*

レイアウト　*40*
レンダリング　*41*

労働過程論　*14, 32*
労働規範　*2*
労働時間　*158, 163*
労働者としてのアニメーター　*175*
労働条件　*63, 64*
労働問題　*165*
労務管理　*10, 35, 36, 89,*

99, 103, 131, 151, 167, 170, 175

わ行
ワーク　*25*
ワーク・ライフ・バランス　*7*
ワークプレイス研究　*25, 27, 31*
ワーケーション　*5*

人名索引

A-Z
Barley, S. R.　*11*
Bittner, E.　*32*
Bolton, S.　*14*

Conor, B.　*90*

Dennis, A.　*26*

Garfinkel, H.　*22, 176*

Harper, R.　*26, 32*
Harvey, G.　*10*
Heath, C.　*26*
Hindmarsh, J.　*26*

Kalleberg, A.　*9*

Laaser, K.　*14*
Licoppe, C.　*29*
Llewellyn, N.　*26*
Luff, P.　*26*

Morisawa, T.　*3*

Sacks, H.　*22*

Van Maanen, J.　*11*

あ行
秋谷直矩　*26*
麻生はじめ　*38*
阿部智和　*5, 6, 31*
阿部真大　*16*
アムニー（Umney, C.）　*12*

五十嵐素子　*26*
池田心豪　*13*
稲上　毅　*12*
稲水伸行　*31*
井上枝一郎　*17*

宇田忠司　*5*
梅崎　修　*13*

大野正和　*23*
大橋雅央　*2, 3, 4*
オッキウト（Occhiuto, N.）　*10*

か行
河西宏祐　*v, 21*
カステル, R.　*9*

木村智哉　*2*

鯨井康志　*6*
クンダ, G.　*17*

小泉静子　*9*
小杉礼子　*9*
コンドリー, I.　*3*

さ行
サッチマン（Suchman, L.）　*26-29, 31, 33-35, 52, 63, 126, 131, 166*
佐藤彰男　*8*
佐藤博樹　*9*
サルヴァドーリ（Salvadori, F.）　*8, 29, 30*

シャロック（Sharrock, W.）　*32, 33*
シュワルツ（Schwartz,

D.) *11, 171*

ストーリー（Storey, J.）
9, 10

ゼリザー（Zelizer, V.）
17-19

た行

谷口　功　*38*

タンサー（Tuncer, S.）
29, 30

團　康晃　*31*

富野由悠季　*i*

な行

永田大輔　*2*

西村ユミ　*174*

は行

原田　浩　*i*

半澤誠司　*2, 3, 169, 177*

樋口晴彦　*17*

藤本　真　*8, 13*

ブラウォイ（Burawoy,
M.）　*14-22, 34, 165*

ブレイヴァマン
（Braverman, H.）　*32*

本田由紀　*ii, 9*

ま行

前田泰樹　*174*

間嶋　崇　*17*

松下慶太　*5*

松永伸太朗　*ii, v, 2-4, 8, 16,
17, 128*

ミアーズ（Mears, A.）
*17-22, 25, 29, 32-35, 165,
166*

水川喜文　*24, 26*

宮崎　駿　*i*

宮地弘子　*16, 17*

毛利嘉孝　*ii*

や行

山崎晶子　*31*

山崎敬一　*23, 24, 26*

山本健太　*2*

雪村まゆみ　*2*

ら行

ライト（Raito, P.）　*10*

ラヘルマ（Lahelma, E.）
10

ランドール（Randall, D.）
32, 33

レルフ（Relph, E.）　*29*

著者紹介

松永伸太朗（まつなが　しんたろう）
一橋大学大学院社会学研究科博士後期課程修了。法政大学・日本体育大学非常勤講師，（独）労働政策研究・研修機構アシスタントフェローを経て，現在，公立大学法人長野大学企業情報学部助教。

【主要著作】
「H 社におけるオフィスのフリー・アドレス化の取り組み」（『生涯学習とキャリアデザイン』15（2），99-106，2018 年〔共著〕），「フリーランサーが場を共有して働くことの意義——アニメーターの労働過程を事例として」（『日本労働研究雑誌』691，93-99，2018年），「アニメ作画スタジオにおける経済活動と空間的秩序——職場のモラル・エコノミーの社会学的研究」（2017年度一橋大学大学院社会学研究科博士論文，2018 年），「サイボウズ社のオフィスデザイン——オフィス改革の効果とその経緯」『生涯学習とキャリアデザイン』（15（1），113-120，2017 年〔共著〕），『アニメーターの社会学——職業規範と労働問題』（三重大学出版会，2017年），「フリーランスとして「キャリア」を積む——アニメーターの二つの職業観から」『日本オーラル・ヒストリー研究』13，129-150，2017 年〔共著〕），「アニメーターの過重労働・低賃金と職業規範——『職人』的規範と『クリエーター』的規範がもたらす仕事の論理について」『労働社会学研究』17，1-25，2016 年）他

アニメーターはどう働いているのか
集まって働くフリーランサーたちの労働社会学

2020 年 3 月 31 日　　初版第 1 刷発行

著　者　松永伸太朗
発行者　中西　良
発行所　株式会社ナカニシヤ出版
〒606-8161　京都市左京区一乗寺木ノ本町 15 番地
　　　　　　Telephone　　075-723-0111
　　　　　　Facsimile　　075-723-0095
　　Website　http://www.nakanishiya.co.jp/
　　Email　　iihon-ippai@nakanishiya.co.jp
　　　　　　郵便振替　01030-0-13128

印刷・製本＝ファインワークス／装幀＝白沢　正
Copyright © 2020 by S. Matsunaga
Printed in Japan.
ISBN978-4-7795-1462-3

ナカニシヤ出版 ◆ 書籍のご案内

表示の価格は本体価格です。

サイレント・マジョリティとは誰か

フィールドから学ぶ地域社会学　川端浩平・安藤丈将［編］　現地を歩き，出会い，話を聞き，現実へと一歩踏み込む。地域社会という言葉が覆い隠してしまう私たちの想像力を再び活性化するために。　　　　　　　　　　　　　　　2300 円＋税

質的研究のための理論入門

ポスト実証主義の諸系譜　プシュカラ・プラサド［著］箕浦康子［監訳］　質的研究を生み出すさまざまな理論的系譜について，考え方，基本的概念，研究事例，そして批判点についても的確かつ明快に解説する。　　　　　　　　　　　3800 円＋税

最強の社会調査入門

これから質的調査をはじめる人のために　前田拓也・秋谷直矩・朴沙羅・木下衆［編］「聞いてみる」「やってみる」「行ってみる」「読んでみる」ことから始まる社会調査の極意を，16 人の社会学者がお教えします。　　　　　　　　　　　2300 円＋税

概念分析の社会学２

実践の社会的論理 酒井泰斗・浦野茂・前田泰樹・中村和生・小宮友根［編］　そこで何が行なわれているのか，それは如何にして可能なのか。社会生活における，多種多様な実践を編みあげる方法＝概念を分析。　　　　　　　　　　　3200 円＋税

エスノメソドロジーへの招待

言語・社会・相互行為　デイヴィッド・フランシス＋スティーヴン・ヘスター［著］中河伸俊・岡田光弘・是永論・小宮友根［訳］　社会学の新たな質的調査法として注目されるエスノメソドロジー。その実践方法をフィールド別に平易に解説する待望の入門書。　　　　　　　　　　　　　　　　　　　　3000 円＋税

認知資本主義

21 世紀のポリティカル・エコノミー　山本泰三［編］　フレキシブル化，金融化，労働として動員される「生」──非物質的なものをめぐる現代のグローバルな趨勢「認知資本主義」を分析。　　　　　　　　　　　　　　　　　　2600 円＋税

東アジア労働市場の制度改革とフレキシキュリティ

厳成男［著］　グローバル化とともに雇用の流動化が進行する東アジア各国の労働市場に必要な柔軟性と安全性（保障）を同時に担保する制度とは何か。　　　3600 円＋税